KB103606

타임캡슐 제1권

기억을 잃을
미래의 나에게
보내는

.

.

.

편지

[지은이: 레리안]

타임캡슐 제1권

발 행 | 2024년 06월 10일
저 자 | 레리안
펴낸이 | 한건희
펴낸곳 | 주식회사 부크크
출판사등록 | 2014.07.15.(제2014-16호)
주 소 | 서울특별시 금천구 가산디지털1로 119 SK트윈타워 A동
305호
전 화 | 1670-8316
이메일 | info@bookk.co.kr

ISBN | 979-11-410-8858-3

www.bookk.co.kr
ⓒ Larian 2024

타임캡슐 제1권

기억을 잃을
미래의 나에게
보내는

.

.

.

편지

[지은이: 레리안]

C O N T E N T S

제0편	머리말	P.6
제1편	프롤로그	P.11
제2편	망각	P.21
제3편	소통	P.43
제4편	누명	P.77
제5편	연구	P.103

제6편   운명   P.114

제7편   친구   P.125

제8편   취침   P.193

제9편   진료   P.233

제10편   천사   P.273

제11편   귀향   P.333

제12편   작가의   말   P.344

✝

타임캡슐
CH. 0

제0편

머리말

1. 여기서 나오는 모든 규칙은 이 책에만 해당합니다. 이 책을 읽을 때 머리말 속 규칙을 지켜주시면 감사하겠습니다.

2. 이 책 속 암호명은 그 화의 글 속 화자의 암호명입니다. 암호명이 바뀜은 그 화의 화자가 바뀜을 의미한다는 점 숙지 부탁드립니다.

3. 이 책은 실화를 바탕으로 재구성해서 만든 판타지 장르의 SF 도서입니다. 읽으실 때 참고 바랍니다.

4. 무슨 실화를 바탕으로 했는지는 절대 비밀입니다. 알려고 하지 말아주시길 간곡히 부탁드립니다.

5. 이 책의 저작권은 전적으로 레리안 작가에게 있습니다. 제삼자가 당사자의 동의 없이 이 작품

으로 창작물을 만들어 수익 창출하는 것을 절대적으로 금합니다. (:저작권을 지켜주세요!

안녕하세요. 반갑습니다. 저는 작가 지망생입니다. 책을 구매해 주셔서 정말 감사합니다. 독자님의 선택을 후회하지 않게 해 드리고자 마음을 쏟겠습니다.

저와 제 책이 처음이실 독자 여러분을 위해 저와 책에 대한 소개를 짧게 잠깐 해 드리도록 하겠습니다. 저는 글쓰는 것도 좋아하고 읽는 것도 좋아하는 학생입니다.

말할 때는 긴장해서 더듬거리게 되지만 글 쓸 때는 제 마음을 자유롭게 표현할 수 있어서 글을 쓰는 것을 좋아합니다.

그동안 노트나 블로그에 비공개로 글을 쓰곤 했는데 학교 선생님의 추천으로 부크크를 알게 되었습니다.

부크크에 있는 좋은 글들을 읽으면서 저도 다

른 사람에게 좋은 영향을 주고 싶어 이 책을 쓰게 되었습니다.

 작가가 되어 저도 다른 부크크 작가님들처럼 좋은 영향을 끼치는 작가가 되고 싶어 책을 출판하게 되었습니다.

 제가 발행하고자 하는 글의 장르는 판타지입니다. 현실 속에서 상처받은 사람들이 제 글을 통해서 다시 힘과 용기를 얻었으면 합니다.

 학교에서 내 따돌림이라는 소재를 판타지라는 장르에 녹여서 따돌림당하는 학생의 성장기를 글로 담아낼 예정입니다.

통상적으로 대부분의 학교 폭력 관련 도서들에서 등장인물이 피해자, 가해자, 영웅으로 나뉘는 경우가 많다고 알고 있는데요,

저는 그와 다른 방식으로 등장인물을 나눌 예정입니다. 착하기만 한 사람은 없습니다. 궁금하시다면 이 책을 꼭 끝까지 읽어주세요!

사랑하는 _____님께
이 책을 바칩니다.

✝

타임캡슐
CH. 1

제1편

프롤로그

(prologue)

"미래의 나를 향해 타임캡슐을 남긴다면? 타임캡슐로 내 기억을 미래의 나에게 있는 그대로 전할 수 있을까? 그보다 타임캡슐은 어떻게 만드는 거지? 타임캡슐은 후세를 위해 남기는 기록이라 들었는데 내게 써도 되는 걸까?

미래의 나에게 쓰는 거니까 미래의 후세에게 쓰는 것과 비슷한 개념이겠지? 미래의 내게 주는 기록…. 기록은 보통 글로 남기지 않나?" 무는 폐허가 된 허름한 문구점에 들어가서 무 요리가 그려진 편지지를 하나 집어 들었다.

오래되서 그런지 누런색을 띠고 있었다. 게다가 조금 찢어져 있었다. 하지만 다른 그 편지지가 다른 편지지들보다 그나마 나은 편이었다. 문구점 유리창은 깨져 있었고 계산대엔 먼지가 쌓여 있었다.

먼지 쌓인 계산대 위에 편지지 값으로 은전 몇 개를 지불하고서 가게 밖으로 나왔다. 물론 그 누구도 그 은전을 받아가지 않았다. 훔쳐가지도 않았다. 폐허가 된 거리 위 무는 아주 느리게 걸어갔다.

무의 손에는 편지지 사면 무료로 준다는 무 모양 펜이 들려 있었다. 무는 걷다가 제자리에 풀썩 주저앉아 편지지를 내려다보았다.

'아무것도 없는 이곳에서 쌓은 추억과 옛친구와의 추억 그리고 목표를 향해 뜨겁게 불타는 나의 열정을 여기에 다 담아낼 수 있을까? 미래의 내가 이 편지지를 보고 잃은 기억을 다 되찾을 수 있을까? 죽음이 다가오고 있었다.

그전까지 인간이 되어야 한다. 인간이 되어도 죽음은 온다. 하지만 인간이 된 후 죽음을 맞이하면 최소한 영벌은 면할 수 있다. 하지만 이조차도 확실하지 않다. 원래 인간이 아니라면 난 어떻게 되는 걸까?'

자신의 정체조차 불분명했다. 자신이 알고 있는 자신의 정체가 틀렸을지도 모른다. 하지만 그건 가능성일 뿐이다.

그런 가능성까지 신경 쓸 순 없다. 저주를 풀기 위해 고향으로 돌아온 무는 저주를 풀고 폐허가 된 고향을 되살리고 옛친구에게 돌아가는 것을 목표로 하고 있다. 고향에 남은 인간들이 무의 제자다. 유령, 무를 볼 수 있는 사람들은 고향에도 있었다.

무는 무 모양 펜을 만지작거리면서 미래의 자신에게 무슨 편지를 쓸지 고민했다. 미래의 자신은 모든 기억을 잊을 예정이었다. 이 편지 안에 기억을 모두 담아낼 수 있을까?

알 수 없었다. 하지만 최대한 중요한 편지를 쓰고 싶었다. 계속 간직하고 싶은 기억으로 남는 편지를 쓰고 싶었다. 사라질 기억을 어떻게든 생생하게 담아내고 싶었다.

미래의 내가 알지 못할 과거를 들려주고 싶었다. 그래서였을까, 역사 공부를 좋아했다. 자신이 알지 못한 과거. 자신이 몸담은 이곳의 이야기. 무는 이제 써야 한다.

미래의 자신에게 기억을 잃고 방황할 자신에게 편지를. 지난 실수를 반복한다면 미래의 자신은 또 기억을 전부 잃은 채 방황할 것이다.

무는 머릿속으로 무슨 편지를 쓸지 고민했다.
그리고 편지 쓰는 것에 대한 계획들을 차근차근 세워나갔다.

1. 서론을 통해서 무슨 편지인지 설명해 준다. 편지 쓰는 이유를 밝히고 편지 내용을 미리 소개해 준다.

무슨 이야기인지 전혀 모르고 보기에는 상당히 난해한 이야기가 될 수 있기 때문이다.

편지 받는 상대는 미래의 나. 과거의 기억을 가지고 있을 리 만무하다. 이 두툼한 편지에 현재의 내가 가지고 있는 기억을 가득 채워 넣을 예정이다.

300쪽짜리 편지! 정말 아득하다. 300쪽에 300일 넘는 나의 기억을 어떻게 다 담아낸단 말인가! 기억을 잃다니!

기억을 잃은 상태에서 편지를 본다면 나였어도 실감나지 않을 것이다. 나다. 이 편지를 볼 상대는 나, 미래의 나다! 미래의 내 공감 능력이 뛰어나길 간절히 소망한다. 기억해야 한다. 감이와의 추억을 잊어선 안 된다.

그건 싫었다. 무는 무 모양 펜을 들고 종이에 한자, 두 글자 적어나가기 시작했다. 그렇게 미래의 자신을 향한 무의 편지가 시작되었다.

안녕, 나는 너야. 너는 나를 모를 거야. 모든 기억을 잃었을 테니까 말이야. 하지만 괜찮아.

네가 나를 기억하지 않는다고 해도 나는 너를 아니까. 아무것도 기억나지 않는 지금 너는 엄청 당황스러울 거야. 나도 그랬어.

너는 나고 나는 너야. 다만 다른 시간대에 있을 뿐이야. 미래에서 왔냐고? 아니, 난 과거에서 이 편지를 쓰고 있어. 이미 기억을 한번 잃었던 나는, 너는 한 번 더 기억을 잃게 될 거야.

나에게는 기억을 잃게 될 것이라는 표현이 맞겠지만 너한테는 기억을 이미 잃었다는 표현이 맞겠지? 괜찮아. 네가 기억을 잃은 것은 문제가 되지 않아. 다시 배우면 되니까.

너의 기억을 처음부터 차근차근 가르쳐 줄 거야. 네가 어떤 사람이었는지, 무슨 일은 겪었는지, 네가 누군지 이걸 읽다 보면 차츰 알게 될 거야.

이 책을 끝까지 읽지 않으면 넌 결국 너의 기억을 알지 못하게 될 거야. 내가 그랬던 것처럼. 내가 했던 실수를 네가 반복하진 않길 바라.

너는 지금 저승사자가 되어 있겠지. 저승사자들은 있잖아, 저승사자가 되기 전 자신이 가지고 있던 모든 기억을 잊어. 원래 그런 거야. 걱정은 안 해도 돼. 원래 잊어버리는 게 정상이니까.

뭐, 때에 따라 다를 수도 있지. 어쩌면 넌 날 기억할지도 몰라. 만약 기적이 일어난다면 넌 아무 기억도 잃지 않겠지. 미래의 나는, 너는 기억을 잃을까? 아니면 잃지 않을까?

기억을 잃게 되든, 기억을 잃든, 잃지 않든 상관없이 네가 이 편지를 꼭 읽어줬으면 해.

아, 기억을 잃지 않았다면 안 읽을지도 모르겠네! 지금의 나는 감이에게 유일한 친구인데, 미래의 나는 그럴지 잘 모르겠네!

그때의 너도 감이와 친구일까?
아직 나는 잘 모르겠어.
친구였으면 좋겠네.

너는 과거에 감이에게 소중하고 유일한 친구였어.
너와 감이는 상하관계가 아니라 수평관계였어.
감이와 수평관계였던 사람은 한 명, 너였어.

감이가 누구인지 궁금하지? 예전 기억을 모두 잊었
을 테니 알 리 없지. 읽다 보면 알게 될 거야. 네가
누군지, 뭐였는지, 네 주변에 뭐가 있었는지 등.

기억하는 것과 아는 것은 다르기에 네게 안 와닿을
수 있어. 하지만 괜찮아. 모르는 것보단 낫잖아? 서
론이 너무 길었네. 이제 곧 마무리 지을게.

내가 너의 모든 기억을 여기 글로 담아뒀으니까 이
걸 읽다 보면 알게 될 거야. 네 기억에 뭐가 있었는
지, 네가 어떤 존재였는지.

지금부터 이 편지는 편지 방식으로 진행되지 않을
예정이야. 네 기억을 토대로 만들어진 한 편의 소설
을 읽는다고 생각하면 돼.

지금부터 나의 기억을 들려줄게.

부디 끝까지 읽어주길 바라.

과거의 나, 미래의 나에게 올림.

†

타임캡슐

제 2 편

망 각 (忘却)

암호명. 무 武

"여긴 어디지?"

눈을 뜨자마자 반자동적으로 무심코 툭 내뱉은 말이다. 머리가 텅 비어버린 기분이다. 내가 누구인지도, 여기가 어디인지도 전부 기억이 안 난다.

고개를 갸웃거리며 주위를 둘러보았다. 언제부터 이 난간 위에 앉아 있었던 걸까? 왜지?

난간 위에 앉아 있다가 눈을 번쩍 뜨고는 모든 정체성을 잃어버린 채 횡설수설하는 상황. 그게 바로 내가 처한 상황이다.

일단 주변이라도 둘러보자. 어떻게든 되겠지. 막연한 마음으로 난간에서 내려가려는데 순간 중심을 잃어

버렸다.

난간 너머로 몸이 기울어졌다. 바닥이 보이지 않는 저 아래로 곤두박질칠 것만 같아 눈앞이 아득했다.

잃어버린 균형감각은 어떻게 해야 되찾을 수 있는 걸까? 내 몸이 내 몸 같지 않다.

순발력을 발휘해 계단 난간을 꾹 붙들었다. 그 어떤 무게감도 느껴지지 않았다. 충격으로 너무 과도하게 무감각해진 걸까? 모든 감각이 사라진 듯했다.

원래 계획대로라면 계단에 멀쩡히 서 있었을 것이다. 적어도 계단 난간에 매달려 있을 일은 없었을 거라는 뜻이다.

그 순간 누군가 계단 위로 후다닥 뛰어 올라갔다. 날 못 보고 지나친 듯했다.

"한 번 지나간 기회는 다시 돌아오지 않는다."

누가 한 말일까?

그건 잘 모르겠지만 그 말로 인해 난 내가 지금 당장 해야 할 일을 알게 되었다. 이 기회를 놓쳐선 안 된다.

1. 이 상황은 누군가에게 도움을 청할 기회다.

2. 뭐라고 도움을 청하지?

3. 이번에 놓치면 계속 혼자 매달려 있어야 할 수도 있다.

4. 일단 아무 말이나 외쳐!

<blockquote>"야, 너 뛰면 벌점이야!"</blockquote>

즉흥적으로 외친 말이기에 다소 뜬금없을 수 있다. 주변에 아무도 없어서 누군가에게 도움을 청할 수 있으리라곤 생각하지 못했다.

게다가 무슨 말로 구조요청 할지도 아직 마땅히 못 정한 상태였단 말이다! 그래, 한 마디로 아무 말이나 떠오르는 대로 내뱉어 버렸다.

"엥?"

녀석은 고개를 갸웃거리며 내 쪽을 응시했다. 하긴 이상하게 느껴질 수밖에 없을 것이다. 정말 뜬금없었다.

하지만 다행히도 녀석은 위태롭게 휘청거리며 뛰어왔다. 그러고는 "앗 어떡해, 괜찮아?"라고 말하며 내 손을 덥석 붙들었다.

물론, 날 도와주려고 그런 거겠지만 내 본능은 날 절대 돕지 않았다. 경계 본능이 도움의 손길조차 냅다 뿌리쳐 버린 것이다.

난간 너머로 떨어지는 동안 녀석은 내 시야에서

아득히 멀어져만 갔다.

.

.

.

.

눈을 감았는데도 시야가 또렷했다. 떨어지는 것을 느낄 수 있었지만 볼 수는 없었다. 눈을 감은 내가 바라보는 것은 현실이 아니었다. 나에게만 보이는 환상인 듯했다.

손을 내밀어 잡아보았다. 흔들어도 보았다. 도대체 저 고리 모양 밧줄에 머리를 넣고 매달려 있는 이유가 뭘까. 어쩌면 매달려 있기보단 걸려 있는 쪽에 더 가까울지도 모른다.

"형!" 여러 차례 불러보았지만, 돌아오는 것 메아리뿐이었다. 어쩌면 메아리로 말하고 있는 걸지도 모른다고 생각하며 다음 말을 이어 했다.

형이 메아리를 통해서 대답하고 있는 거겠지? 그럼 그렇지, 형이 말도 못 할 정도로 다쳐 있을 리, 없다. 분장일 것이다. 들려오는 메아리도 형의 대답일 거야.

왜 대답하지 않냐고, 왜 내 말을 자꾸 따라 하냐고, 거기 매달려서 뭐 하는 거냐고 따지려 했다.

굳게 닫혀있던 형의 입이 열렸다. 드디어 나의 부름에 대한 답이 돌아오려는 걸까?

아니, 열린 입에서 나온 건 형의 목소리가 아닌 정체불명의 무언가였다. 그 무언가는 형의 입에서 나와 형의 목에 걸린⋯.

아니, 형이 걸려 있는 밧줄을 붉은색으로 적시고 내려와 내가 입은 흰 정장조차 붉게 물들었다. 이거 내 거 아닌데 아빠 건데⋯. 형한테 정장 입은 모습 보여주고 싶어서 몰래 입고 온 건데….

붉은 무언가를 흘리며 고리 모양의 밧줄에 걸려 있는 형의 모습. 그 형의 모습이 내가 본 마지막 형의 모습이었다. 형은 그렇게 피를 흘리며 죽어갔다.

익숙한 기억이었다. 시도 때도 없이 떠올랐던 기억이다. 그동안 내가 무시해 왔던 그런 기억. 나와 상관없는 이야기를 내 기억처럼 계속 가지고 있었다. 그리고 난 그 기억을 실제 상황이라도 되는 것처럼 겪고 있다.

하지만 아무래도 상관없었다. 내가 아는 한, 난 시체라든가 범죄라든가 그런 것들과는 거리가 먼 평범한 삶을 살고 있었으니까.

나는 그날의 그 기억 따위, 내 상상 속의 망상으로 치부하기로 했다. 그런 꺼림칙한 망상을 품었다는 게 영 내키긴 않지만 말이다.

뭐가 망상일까? 현실인데, 지금 나는 목매 죽은 시체 앞에 이렇게 서 있는데. 현실을 부정하고 있다. 현실을 과거로 치부하고 있다.

기억이라고 부르는 현실이다. 내가 지금 겪고 있는 현실이다. 기억이다. 현실이다. 기억이다. 눈앞이 희미하다. 기억이라고 부를까? 애당초 이런 고민을 하는 이유가 뭘까?

그 기억은 어디까지나 희미한 기억이었을 뿐, 그 기억을 뒷받침해 주는 근거나 물증 따위 그 어디에도 존재하지 않았다. 하지만 그 기억이 거짓이라 주장하는 사실들은 많다.

1. 난 "형"이란 호칭을 쓰지 않는다. 난 남자로 태어나지 않았으니 말이다. 그런데 그 기억 속 나는 누군지도 모를 형을 애타게 불러댔다.

2. 아니, 나는 '형'이라는 호칭을 줄곧 써 왔다.

대체 난 뭘까? 왜 시체를 앞에 두고 엉뚱한 생각만 하고 있는 걸까?

3. 그도 그럴 게 지금 할 수 있는 게 아무것도 없다. 나는 지금 내가 형이라고 불렀던 시체를 붙잡고 가만히 서 있다. 아무것도 움직일 수 없다. 눈동자를 굴리는 것도 불가능한 상황 속에서 다른 사람에게 도움을 청하는 건 불가능하다.

3. 내 주변엔 목매 죽은 사람은 없다. 그런데 기억 속 그 사람은 고리 모양의 밧줄에 매여 있지 않았던가. 내게 목맨 사람을 볼 일은 없었다. 아니, 없어야 한다. 정말 없을까? 없었을까?

4. 아무도 내가 기억하는 그날을 알지 못한다.

여기서 문제 사항이 하나 있다면 '아무도'에 해당하는 사람이 나뿐이라는 것이다. 내가 기억이라고 부르는 건 현실이다. 그날은 오늘이다. 나는 현실을 오래된 기억처럼 이야기하고 있다.

시야가 흐릿해졌다. 그리고 또 다른 장면들이 눈앞을 휙휙 지나쳤다. 내가 기억을 회상하고 있는 것인지, 현실을 살아가고 있는 것인지조차 전혀 구분할 수 없었다. 나는 수많은 나를 보았고 나는 여러 모습으로 내 눈앞에 나타났다. 시체를 붙들고 울던 나, 내가 내 안에서 있을 수 있었던 건 그 순간뿐이었다.

다른 기억들에서 난 나를 멀리서 지켜보았다. 시체에 손을 뻗은 채 그대로 굳어버렸던 나는 그 자세 그대로 수많은 나를 보았다. 가만히 서 있는 내 앞에서 또 다른 내가 차에 치여 죽고 비명을 지르고 총구를 들이밀었다.

또 다른 나, 나를 죽이는 사람들, 나와 상관없어 보이는 행인들 모두 나를 보지 못했다. 움직이지 못한 채 가만히 서 있는 내게 눈길 한번 안 주고 제 삶을 살았다. 영화관에 온 것 같았다.

스크린과 같은 시야 위로 또 다른 나의 이야기가 펼쳐진다. 그들에게 나는 닿을 수 없다. 없는 존재다. 그때 나는 알지 못했다. 그게 내 미래인 것을 몰랐다. 수많은 기억이 주마등처럼 내 눈앞을 스쳐 지나갔다.

하지만 짧은 생이라 그런지 주마등은 금세 자취를 감추었다. 주마등이었을까? 애초에 내가 인간인 적이 있었던가? 나는 뭘까? 점차 흐릿해져 갔다. 흐릿해지는 시야 대신, 시끄럽게 앵앵거리는 사이렌 소리와 이곳의 피비린내가 처참한 현실을 자각시켜 주고 있었다.

그저 평범한 하루를 늘 그래왔듯 살아왔을 뿐인데, 앞으로도 쭈욱 그러리라 생각했는데, 어째서인지 기억나지 않는다. 나는 무슨 하루를 살았을까? 언제까지 손가락 까닥 못하고 이렇게 서 있어야 할까?

아니, 정말 생을 살아온 걸까? 내가 지금 죽음을

맞고 있는 걸까? 난 인간일까? 인간이었을까? 인간이란 뭘까? 인간처럼 생기고 인간과 같은 특성이 있으면 뭐든 전부 인간일까?

무시해도 된다. 헛소리일 뿐이니까.

생을 살아왔다고 해 봤자, 내가 살아온 생은 얼마되지 않는다. 내 앞에는 목멘 시체가 앞뒤로 흔들리고 있다. 아니, 내가 시체를 앞뒤로 흔들고 있다. 수많은 기억을 지나서 시체 앞으로 돌아왔다.

내가 붙들고 있던 시체는 다시 내 손에 잡혀 있었다. 언제 그랬냐는 듯이 나는 여전히 내가 있던 곳으로 돌아와 내 몸에 맞지도 않는 큰 정장을 입은 채 시체를 붙들고 있었다.

시체를 보기 전, 계단 난간에 앉아있기 전의 기억은 없다. 종종 언제의 기억일지 모를 기억들이 생각날 뿐이다.

예를 들자면 이름 모를 어느 추리 소설이라든가, 내가 맛있게 먹었던 음식 등의 시시콜콜한 기억들. 하지만 나는 알지 못한다.

아무것도. 무엇을 알지 못하는지도 알지 못한다. 지금은 형을 안고 있다. 한때 나의 버팀목이었던 형을, 시체가 된 형을 안은 채 울고 있다. 아빠의 정장이 젖고 있다는 것을 알면서도 계속 안았다.

내 몸에 맞지도 않는 정장을 몰래 입고 온 건 다 형 때문인데, 형 보여주려고 그랬는데, 형은 나를 보지 않는다. 텅 빈 눈으로 허공만을 바라볼 뿐이다.

나를 보지 않는다. 형이 다쳤다. 많이 다쳤다. 회복될 수 없을 것만 같아 보일 정도로 아주 크게 다쳤다. 그런데 왜? 이건 내 기억이 아니야. 현실이 아니야. 내가 보고 있는 게 사실일 리 없어.

현실을 부정해서였을까? 형과 형의 목에 묶인 밧

줄 그리고 내가 서 있는 이곳. 내가 보는 모든 게 희미해져 가기 시작했다. 내가 입고 있는 정장과 함께 내 몸도 희미해져 갔다. 바지는 애초에 정장에 가려져 있어 원래 보이지 않았다.

시야가 천천히 무너져 내렸다. 산산이 끝도 없이 무너져 내렸다. 여느 영화에서 봤던 영상 효과가 눈앞에 현실로 다가왔다.

내가 영화를 봤구나. 언제의 기억일지도 모를 기억 속 재난 영화가 무너지는 시야와 겹쳐 보였다. 영화보다 비현실적인 현실이었다.

흐려지고 부서지는 시야와 함께 감각도 무뎌졌다. 무너지는 시야 속에서 발버둥 쳐도 촉각은 일을 하지 않았다. 투명해진 밧줄을 물어뜯어도 거친 밧줄이 거칠게 느껴지지 않았다.

어쩌면 내 시야만 무너진 게 아닐지도 모른다. 실제로 모든 게 무너지고 있는 걸지도 모른다. 다행히도 형을 옭아매던 밧줄은 갈기갈기 찢어졌다. 하지만 형도 함께 갈가리 찢어졌다. 쓸데없이 공평하게 둘 다 산산조각 나 버렸다.

아니? 공평하지 않다. 절대로, 모든 게 무너져 내려가는 그곳에서 내가 할 수 있는 건 아무것도 없었다. 몸의 감각을 모두 잃어버렸다. 코와 입으로 들어오던 피비린내도 더 이상 느껴지지 않는다.

마비된 것처럼 몸이 움직여지지 않는다. 또다시 가만히 서 있게 되었다. 무너지는 현실 속에서 홀로 우두커니 서 있었다.

영원히 이렇게 혼자일 것만 같았다. 깨지고 부서지는 덧없는 현실이 절대적으로 느껴졌다. 무엇보다 영원할 것처럼 보이는 불행이었다.

움직이려 할 때마다 고통이 느껴졌다. 그렇다고 해서 움직일 수 있는 건 아니었다. 심지어 일부러 움직이려 한 게 아니어도 고통이 심하게 느껴졌다.

심장이 한 번, 두 번 뛸 때마다 극심한 고통이 느껴졌다. 다행이었다. 손이나 다리 등 자의를 품고 자기 의지로 움직여야 움직일 수 있는 부위들은 움직임을 멈췄지만, 심장은 계속 뛰어주었다.

한 시라도 멈춰선 안 되는 세포들이 고통을 무릅쓰고 열심히 일했다. 어쩌면 내 의지 밖에서 열심히 일하는 세포들을 위해 내 의지 안의 신체 부위들이 양보하는 걸지도 모르겠다.

그렇게 난 가만히 서서 생전 처음 느껴보는 깊은 고통을 견뎌냈다. 견디고 싶지 않았지만 움직일 수 없었기에 어찌할 도리가 없었다. 포기할 수 없었다.

고통을 끝낼 수 없었다. 내 의지 밖에서 열심히 일하는 세포들, 신체 부위들 덕에 내 의지와 상관없이 죽음보다 더한 고통을 견뎌냈다.

고통이 기준치를 넘으면 살려달라 부르짖다가도

도리어 죽여달라 부르짖는다고 했던가. 그 기준치를 한참 넘어선 건지,

고통의 감각조차 점점 더 희미해져만 갔다. 마취되는 것처럼. 고통 전에 고통을 덜 느끼게 하는 게 마취의 목적 아니었던가. 고통 뒤의 마취라니?

'그럼, 이보다 더한 고통이 날 기다린다는 건가.'

'무슨 일이 일어나고 있는 거지…'

'왜 하필 나한테 이런 일이 벌어졌을까?'

'이제 곧 죽는 건가…?'

• • •

점점 희미해져만 가는 의식은 이러한 의문들조차 더 이상 허락하지 않았다. 눈이 스르륵 감기고 모든 게 내 시야 밖으로 사라져 버렸다.

．

．

．

．

그 뒤 며칠이 흘렀을까. 어쩌면 몇 년이 흐른 걸지도 모른다. 눈을 떠보니 회백색 방에 홀로 누워 있었다. 아까 있었던 곳과 대비되는 장소였다.

피 한 방울 묻지 않은 깨끗한 이불 위 조금 단단하지만, 부드러운 베개를 베고 누워 있었다. 내가. 아까 전의 고통은 언제 있었냐는 듯이 떠나 버렸다.

아무 곳도 아프지 않았다. 그렇다고 해서 무감각한 건 아니었다. 내 위에는 이불이 덮여 있었다. 내게 이불을 덮은 기억이 없는 것으로 보아 다른 사람이 덮어 준 듯하다.

난간에서 떨어져 현실인지, 망상인지 모를 것을 경험하고 돌아왔다는 것을 인지하는 데엔 시간이 그리 오래 걸리지 않았다.

난간 아래 또 다른 세계가 있는 게 아니라면 내가 방금 겪은 일을 망상으로 치부할 수밖에 없다.

망상, 상상, 어쩌면 기억일지도 모른다. 내가 기억하지 못하는 계단 난간에 오기 전의 기억, 가능성은 얼마든지 충분하다.

가능성이 너무 광활하면 정답을 찾기 힘들어진다. 적어도 나는 그렇다. 무한한 가능성 속에서 어느 것이 진짜인지 판별하는 것, 그것은 내게 어려운 일이었다.

방금 겪은 일을 하나, 둘 회상해 보았다. 그리고 무한한 가능성 속에서 내가 겪은 일이 무엇인지 진지하게 고민해 보았다. 원래 진지한 성격은 아니지만 내가 겪고 있는 상황은 내 성격처럼 유쾌하지 않았다.

진지하게 사고하는 것을 요구하는 상황이라고 적어도 나는 그렇게 생각했다. 나는 계단 난간에 오기 전 무엇이었을까? 계단 난간에 온 난 뭘까? 나를 도와주러 난간에 온 그 사람은 어떻게 됐을까?

그 사람이 떨어진 나를 주워서 여기다가 데려다 놓은 게 아닐까? 그럼, 아까 내가 겪은 일은 꿈인가? '계단 난간에서 떨어진 충격으로 인해 혼수상태에 빠져 혼수상태 속에서 환상을 보았다.'라고 결론지어도 문제 될 건 없어 보인다.

문제는 증거 불충분이다. 나를 주워 온 사람과 대화라도 할 수 있으면 좋으련만. 만일 그 사람이 나를 바로 주워 왔다고 말한다면 내 가설이 입증된다.

하지만 그렇지 않다면 다시 고민해 보아야 한다. 지금, 이 상황이 어떻게 돌아가고 있는지 최소한 알기라도 하고 있어야 한다. 알려고 하지 않는다는 것은 관심이 없는 것이다. 무언가를 향해 무관심을 가지고 있으면 무언가에 대해 배울 수 없다.

관심 없는 분야를 어떻게 통달할 수 있겠는가? 할 이유도 찾지 못해 어영부영할 것이다. 그러다가 시간이 흘러 돌이킬 수 없는 때가 오면, 더 이상 무언가를 붙잡아 둘 수 없는 때가 오면, 후회하게 되는 거다.

땅을 치고 후회한다고 해서 무언가를 다시 붙잡을 수 있는 건 아니다. 하기 싫은 일, 무관심의 대상을 자기 관심의 대상으로 만드는 사람들도 있다. 나는 그중 나와 관련 있으면 무조건 관심을 보이는 양상을 지녔다.

그곳엔 무채색 침묵이 허공을 꽉 채우고 있었다. '그 침묵이 다른 소리를 전부 삼키고 있는 건 아닐까.' 하고 의문이 들었다.

✝

타임캡슐
CH. 3

제3편

소통(疏通)

암호명. 무 武

“이제 정신이 들어?”

그렇게 누군가 말을 걸어준 덕에 ‘침묵이 소리를 삼킬 순 없다는 것’이 증명되었다. 적어도 지금은 말이다. 아 근데 여기 나 혼자 있던 게 아니었어?

분명 혼자 있는 줄 알았는데 아니었다. 내가 그 정도로 무감각했다니 꽤 충격적이다. 어디선가 본 적 있는 얼굴이다.

내가 누군지도 모르는 상황에 다른 사람을 알아본다고? 저 녀석은 계단 난간에서 나를 구해주려고 했던 사람이다. 기억을 잃은 뒤의 기억은 머리에 남는가 보다.

정신을 잃었을 때 겪은 일도 계단 난간에서의 일도 전부 또렷이 기억난다. 단지 계단 난간에 오기 전의 기억이 안 날 뿐이다.

그 뒤 아무 일도 없었단 듯, 녀석의 보호 아래 단조롭고 평화로운 일상이 이어졌다. 녀석은 내가 자신에게만 보인다는 것을 문제 삼지 않았다.

정말 이상하리만치 당연하다는 듯한 반응이었다. 그 덕에 나는 여느 평범한 학생들처럼 공부하고 놀기도 하면서 꽤 평범한 나날을 보냈다.

한 사람에게만 보여진다는 것과 나조차 내가 누구인지 모른다는 것. 두 가지가 조금 거슬렸지만 아무래도 상관없었다. 그냥 이 평화가 계속되길 바랐다. 내 일상은 그리 평온하게 흘러갔건만, 녀석의 일상은 그렇지 못하였다.

녀석은 속이 안 좋단 이유로 늘 식사를 거부했다. 물만 마셔도 토를 했고 어지럼증으로 인해 자주 넘어졌다. 한편, 나는 얼마 후 녀석만이 볼 수 있는 존재가 나밖에 없는 게 아니라는 것을 알게 되었다.

나처럼 감이만이 보고 들을 수 있는 존재는 무와 악

으로 나뉘어졌다. 감은 녀석의 이름인데, 주로 감이라고 불린다. 하지만 나는 '너'라고 부르거나 '녀석'이라고 부를 때가 많다.

여기서 '너'는 감이를 뜻한다고 생각하도록 하자. 이야기 이해에 도움이 될 것이다. 자신의 정체성 등 당연히 알아야 할 것들을 모두 모른 채 지내는 존재들은 없을 무를 써서 무라고 불렸다.

무는 사람들이 내게 지어준 이름이기도 하다. 각이도 나와 같은 무의 존재다. 아무것도 알지 못하는 무지한 것들, 아무것도 모르기에 아무 악도 모르는 선도 모르는 듯한 그런 바보들.

이번에 새로 알게 된 존재는 나와 같은 무의 존재인 각이였다. 조용히 숨어 있어서 눈치를 못 챘다. 인형 옷 안에 숨어 있는 각이를 그냥 진짜 인형으로 생각한 것이다. 요즘 기술력이 엄청나게 좋아져서 인형을 엄청나게 잘 만드는 건 줄 알았다.

다른 사람들은 못 보게 하고 감이만 볼 수 있게 하는 감이에게만 허락된 최첨단 기기인 줄 알았다. 각이의 정체를 밝힌 건 각이였다. 자신을 진짜 인형으로 대하는 것이 불쾌했다나 어쨌다나

각이는 나와 가장 비슷한 존재다. 나와 가장 비슷한 존재는 항상 자신을 스스로 가리고 숨기고 있다. 각이가 유일하게 나와 비슷한 존재다. 각이는 상자 안에 숨거나 가면을 쓰는 등 어떻게든지 자신을 스스로 드러내지 않는다.

드러내면 드러난 각이를 보는 사람들이 광란에 빠져 제명을 다하지 못하고 목숨을 잃게 된다. 나도 마찬가지다. 그래서 늘 자신을 가리고 숨기고 있다. 보이는 순간, 끝이다.

나를 본 이는 나를 봤다는 이유만으로 끔찍한 광란에 시달리게 된다. 회복하지 못할 시 평생 미치광이로 살거나 세상을 떠나기도 한다.

그래도 나는 보자마자 정신을 잃게 만드는 각이와 달랐다. 자랑은 아니다. 그저 사실을 이야기할 뿐이다. 나를 본다고 해서 바로 광란에 빠지진 않는다.

그래서 종종 내 얼굴을 아는 사람도 있다. 무슨 이유에서인지는 몰라도 사람들은 종종 나를 볼 수 있었다. 나를 본 사람들은 거품을 흘리며 쓰러지거나 광란 증세를 보였다.

내가 옷가지로 날 가리고 있든, 안 가리든 간에 상관없이 종종 사람들이 나를 볼 수 있게 되었다. 내가 옷으로 날 가림으로써 사람들의 광란 증세를 막을 수 있는 게 아니라는 것을 알게 되었다.

내게 결계가 쳐져 있기 때문이라고 했다. 언제 누가 쳤는지는 몰라도 하나는 확실했다. 계단 난간 오기 전에 쳐졌으리라는 것. 내가 기억하지 못하는 순산은 계단 난간 오기 전까지의 순간일 뿐이다.

유무 여부도 확실하지 않아 상상 속에서만 존재하는

과거 말이다. 정말 나는 계단 난간에서 떨어져 녀석을 만나기 전 무엇이었을까? 어떤 존재였을까?

내게 처져 있는 결계 즉, 두천이 힘을 잃을 때면 감이가 아닌 다른 사람들도, 일반인들도 나를 보았다. 나를 보고 광란에 빠져 울고 웃었다. 두천은 내 온몸을 뒤덮고 있는 반투명한 천 형태의 막이다. 정확하게 말하자면 결계다.

내 결계가 약해질 때면, 감이가 가지고 있는 감각이 원인 모를 이유로 사람들에게도 주어졌다. 하지만 그리 오래 가진 못했다.

결계는 나와 반비례했다. 내가 건강할 때면 결계가 약해졌고 내가 약할 때면 결계가 강해졌다. 감이는 감이를 잘 알지 못하는 나에게 감이 자신에 대해 친절히도 아주 솔직하게 설명해 주었다.

감이 자신을 있는 그대로 보면 광란에 사로잡혀 죽게 된다고 감이가 직접 설명해 주었다. 그런 상황은 각이도, 나도 전혀 원치 않는다. 각이가 각이 자신을 꽁꽁 싸고 가리고 있는 모습이 갑갑해 보일 때도 많다. 그래서 안타까웠다.

한 편, 나처럼 다른 사람들에게 안 보이는 존재 중에서 악의 존재는 내 영역 밖이다. 볼 수도 느낄 수도 없다. 녀석의 증언에 따르면, 다른 존재들은 녀석의 육체 즉, 몸을 못 빼앗아서 안달이었다.

딱히 녀석을 위하고픈 마음은 없었지만 '다른 존재'들이 싫었다. 다른 사람들이 나를 못 보듯 나도 녀석이 보는 '다른 존재들'을 볼 수 없다.

단지 그 녀석의 혼잣말이라든가, 앓는 소리를 듣고 유추해 냈을 뿐이다. 녀석은 자주 허공을 보며 소리치고 울면서 녀석만이 볼 수 있는 '다른 존재들'의 공격에 저항하곤 했다.

그럴 때면, 그 녀석의 두 손을 맞잡고 "아니야. 네가 보고 있는 거 가짜야. 허상이야. 아무것도 아니야.

무시하면 되는 거야. 괜찮아."라고 말해주었다.

이런 상황이 처음에는 낯설었지만, 금세 익숙해졌다. 나는 녀석을 '다른 존재들'로부터 지키는 일상을 살아가게 되었다.

한편, '다른 존재들'과 대립하고 있던 것들은 나뿐만이 아니었다. 사람들도 '다른 존재들'과 대립 중이었다. 그들은 그들이 가진 기록 속에서 다른 존재들의 이야기를 읽었다.

다른 존재들을 상대하는 법을 배웠다.

그들이 바라보는 '다른 존재들'과 내가 바라보는 '다른 존재들'의 차이는 나와 너 모두 '다른 존재들'에 포함되어 있다는 것이었다.

녀석이 악마에게 홀려서 허상을 보는 것이라고 굳게 믿는 자들. 그들은 녀석이 그들의 편에 서길 원했다.

만일 녀석이 만일 자신만이 볼 수 있는 것들을 전부 무시하고 그들의 편에 섰더라면 녀석에게도 평화가 주어졌을 것이다. 반면, 내 평화가 깨어지겠지만 말이다.

나는 녀석이 본 첫 허상으로서 허상들을 대표하여 그들의 저주를 받곤 했다.

내가 평범한 일상을 전부로 여겨왔듯이 그들은 그들이 믿는 세계만을 전부라고 믿어왔다. 그 세계는 친절히도 세세히 다 기록되어 있었다.

하지만 그 방대한 기록 속에서 내 이야기는 티끌만큼도 찾아볼 수 없었다. 그들의 말대로 모든 것이 전부 담겨있는 기록 속에 나와 각이 이야기만 없었다.

그게 바로 그들이 나의 존재를 인정하지 않은 이유다. 그들의 시야 밖의 존재였던 나와 각이는 존재 자체를 인정받을 수 없었다.

그들에게 나는 그저 감이라는 녀석의 상상 속에서 만들어진 악한 허상과도 같았다. 녀석의 이름은 감이다. 어째선지 언급하기가 어색한 이름이다.

그래서인지 자꾸 감이를 언급할 때는 녀석 또는 너라고 언급하게 된다. 감이를 '너'라고 언급하며 글을 쓰다 보면 꼭 감이에게 편지를 쓰는 것 같은 기분이 든다. 절대 전하지 않을 편지, 너에게 전하고 싶지 않은 편지려나?

내가 감이를 감이라고 언급하지 않고 너 또는 녀석이라는 말로 언급하는 것에 대한 이유는 나도 모르겠다.

여기서 녀석과 너라는 말이 나오면 무조건 감이를 뜻한다고 생각해도 된다고 해도 과언이 아니다. 하지만 글의 맥락에 따라 의미가 달라질 수도 있을 것 같긴 하다.

사람들이 내 존재를 부정하고 악령 취급하긴 했지만 그렇다고 해서 나의 존재를 인정하는 이들이 아예 없었던 건 아니다.

하지만 그 이들 역시 나를 악마 취급했다. '눈에 보이지 않는다.'라는 것이 그들의 주장을 뒷받침하는 주된 이유였다.

악의 존재들은 기록에 선명히 기록되었다. 자세히 기록되어 있었다. 그 기록 중 나와 각이에게 맞는 내용은 전혀 없었다. 그 기록이 나와 각이가 악령이 아님을 증명했다.

그런데도 나를 볼 수 없는 이들에게 나는 없는 존재일 뿐이었다. 그래도 나를 보는 이가 한 명 있긴 하다. 하지만 상호작용이 가능한 이가 한 명뿐이라는 건 내게 조금 가혹하게 느껴졌다.

사람 중에서는 감이가 나와 대화할 수 있고 소통할 수 있는 유일한 사람이자, 나와 상호작용할 수 있는 유일한 사람이다. 나와 같은 존재가 아예 없었던 것은 아니다.

각이도 나와 같은 존재였다. 누구에게도 보이지 않고 나와 너에게만 보이는 그런 존재. 하지만 각이가 워낙 소심해서 다가가기 어려웠다.

하지만 나는 결국 너 말고도 나를 볼 수 있는 다른 존재를 맞닥뜨리고 말았다. 각이와 나는 사람들에게 유령으로 불렸다. 내가 맞닥뜨린 존재는 유령도, 귀신도 아니었다.

너, 감이 말고도 날 보는 이가 있다는 걸 알게 되었다. 다른 사람들이 보지 못하는 나와 같은 존재들을 제외한 다른 이들 말이다.

고양이들과 3살 이하의 아이들. 집 근처 어린이집에서 만나게 된 친구들이다. 작고 귀엽고 내 행동 하나하나에 반응해 주었다.

너는 어째서인지 그런 날 부러워했다. 나처럼 숨고 싶다나, 어쨌다나. 숨으려는 의도는 없었지만 다들 날 못 보니까 그들의 입장에서는 내가 숨어 있는 것일 테다.

시간이 날 때면 종종 어린이집에 들러 시간을 보내곤 했다. 어린이집에 갓 입학한 3살 아이들은 정말 귀엽기 그지없었다.

종종 어린이집 선생님께서 아이들만 교실에 두고 제할 일을 하러 갈 때가 있었다.

그럴 때면 어린이집 밖에서 고양이들과 놀다가도 교실로 불쑥 들어와 아이들과 놀아주곤 했다.

맑고 순수한 아이들과 귀여운 고양이들을 마주할 때면 왠지 몽글몽글한 기분이 들었다.

아이들과의 추억은 그리 오래 가지 못했다. 아이들 중 몇몇이 고양이 알레르기 증세를 보인 까닭이다.

어린이집 교사는 나의 존재를 모를뿐더러 보지도 못하기에 철없는 아이들이 선생님 몰래 고양이를 데려왔을 것이라 확신했다.

내가 왔다 갈 때마다 열려 있는 창문과 내가 흘리고 간 고양이 털들이 그 확신을 증명해 주었다.

방금 내가 언급했다시피 나는 고양이들과 놀다가 아이들에게로 가곤 했다. 두 번의 기회는 없었다.

창문은 굳게 닫히고 밖에서 열지 못하도록 잠겨 버렸다. 3살 아이들은 잠긴 문을 열기엔 키가 턱도 없이 작았다.

고양이 알레르기로 한바탕 소동이 벌어진 이후, 아이들은 어린이집에 올 때마다 선생님께 짐 검사를 받는 시간을 가지게 되었다.

아이들의 가방은 고양이를 넣어둔 건 아닐지 의심을

살 정도로 컸다. 아이들을 위해 바퀴도 달려 있었다. 거의 이동용 캐리어와도 같았다.

매일 어린이집에 갈 때마다 이렇게 큰 가방을 들고 간다면 문제가 될 것이다. 다행히도 그런 건 아니었다. 짐 검사를 받아야 할 정도로 큰 가방을 들고 오는 아이들은 일부에 불과했다.

기숙하는 아이들만이 방학마다 큰 가방을 들고 집에 다녀 왔다. 어린이집의 아이들은 자립심을 키우기 위해 보호자 없이 돌아다녔다.

아이들은 길을 잃거나 안 좋은 일을 당하지 않기 위해 어딜 가든 똘똘 뭉쳐 다녔다. 단 한 명만 빼고 말이다. 이리저리 꿰맨 누더기처럼 실로 꿰맨 흔적이 많이 보이는 이 아이는 이 동네에서 상당히 유명하다.

그 아이는 평판이 그리 좋지 않았다. 그도 그럴 것이 칼로 자기 몸을 그어버리는 자해 행위, 칼로 찌르는 행위 등 해선 안 될 짓들을 자주 해댄 것이다.

미술을 좋아하는 사람들이라면 마술 칼을 알지도 모르겠다. 찌르지 않고도 찔린 것 같아 보이게 만드는 칼이라고나 할까? 다음 페이지에서 내가 그린 그 아이의 모습을 보면 이해할 수 있을 것이다. 아이의 나이는 7살. 7살치고는 작은 편이었다. (3살 아이들과 한 교실에 있는 이유는 나도 모른다.)

단지 너무 말라서 실제 키보다 조금 더 커 보이는 것일 뿐이다. 뼈밖에 안 남아있다고 해도 과언이 아니었다. 다음 페이지에서 나오는 피는 모두 가짜다. 두려워하지 않아도 된다! 다만, 조금 무섭게 생겼다는 것을 알아두는 게 좋을 거다.

기억을 잃을 미래의 나에게 보내는 편지

그 아이에 대한 소문들이 굉장히 흉흉하다. 그래서 범죄자들도 이 아이만큼은 피할 거라는 말이 있을 정도다. 그 아이의 이름은 '단'이다. 더도 덜도 말고 단이다.

다시 본론으로 돌아가서 고양이가 숨어 있을 거라는 의심을 받은 가방 이야기를 하도록 하겠다.

아동용 캐리어 아니, 어린이집 아이들의 가방에는 기저귀들과 여벌 옷들이 가득 차 있었다. 가방 어디에도 고양이가 들어갈 자리가 없었다.

그런데도, 아이들이 규율을 어기고 어린이집 오는 길에 몰래 길고양이를 주워 왔을지도 모른다고 의심한 것이다.

이 속의 아이들은 어릴 때부터 어린이집과 보육원 사이를 통학하길 오가는 생활을 전전하며 규율 있는 삶을 살아왔다.

아이들이 열심히 지키고자 하는 규율 너머에는 산타 할아버지가 사시사철 빨갛고 두꺼운 옷을 입은 채 활짝 웃고 있었다.

지금 산타할아버지는 크리스마스를 맞아 아이들의 온기와 보일러의 열기로 가득 찬 어린이집 강당에서 가짜 수염을 매만지면서 거의 기계음과 같은 웃음소리를 힘겹게 내뱉고 있었다.

가짜 수염을 매만지는 산타 할아버지의 손등 위로는 굵은 땀이 주룩주룩 흘러내렸다.

산타 할아버지는 최대한 억지웃음을 지으며 어린이집 어린이들에게 동화책을 한 권 읽어주고 있었다. 레리안이라는 작가가 쓴 동화라고 한다.

산타 할아버지가 낭독해 주는 동화를 들으면서 받아쓰기 시험 치듯이 한 자 한 자 베껴 써 내려갔다.

<바다의 모험>

별빛 하나 보이지 않던 깜깜한 밤,
불꽃 하나가 하늘로 피어올랐어.

하늘로 피어오른 불꽃 아래에는
고요한 밤바다가 자리를 잡고 있었지.

고요히 잠자는 바다 위로
반짝이는 불꽃이 비쳤어.

하늘 위를 활보하는 불꽃이
바다 수면 위에
비추어졌어.

바다는 바다 위에 비추어진
불꽃을 가만히
바라보았어.

바다에 비친 불꽃은 생전 처음 보는
바다 위를 첨벙첨벙 헤엄쳤지.

바다도 불꽃과 함께 헤엄치기 시작했어.

수없이 피어오르고 지는
불꽃과 함께
쉼 없이 첨벙댔지.

'피어오르는 불꽃들은 어디서 온 걸까?'
바다가 말했어.

불꽃이 시작되는 곳을 찾아 헤엄쳐 갔어.

불꽃이 시작되는 곳을 찾아 무작정
아무나 붙들고 물어보았어.

"불꽃의 고향을 아시나요?
궁금해요. 알려 주세요!"

자신이 떠나온 곳에서 자신을
기다릴 불꽃을 잊은 채
자신의 호기심만을 쫓아 헤엄쳐 갔어.

불꽃이 시작되는 곳을 찾아
어딘지도 모를 곳을
향해 헤엄쳐 갔어.

피어오르는 불꽃들을 뒤로 하고
원인 모를 호기심만을 잔뜩 안고서

그 누구의 초대도 받지 않은 채로
어딘지도 모를 그곳을 향해

불꽃의 고향을 찾아 헤엄쳐 가는 길이
쉽지만은 않았어.

바다는 송곳보다도 날카로운 물살로
제 앞에 놓인 모든 것을
치고 무찌르고 지나갔어.

듣기 싫었거든.

그들이 하는 말을.

ㄴ사진 출처: 크라우드픽

"불꽃을 버린 차가운 바다"

바다는 갈수록 차가워져만 갔어.

결국 꽁꽁 얼어버리고 말았지.

한결같이 한 자리에 머물러

바다만을 기다리는 불꽃들과

자신의 호기심을 쫓아 어딘지도
모를 곳으로 나아가는
차갑고 매서운 바다.

꽁꽁 얼어버린 바다는 송곳으로도
뚫을 수 없을 것 같았어.

하지만 짜디 짠 바닷바람에
섞여 불어오는
불꽃의 소식에
용암조차 녹일 수 없을 것 같던
바다가 눈처럼 녹아내렸어.

분명 자신이 어디서 왔는지조차
모르는 불꽃을 위해
떠나온 여정인데 어째선지 바다
자신을 위한 여정이 되었어.

바다는 어딘지도 모를 그 곳에서
불꽃을 회상했어.

불꽃을 찾아 원래 있던 자리로 돌아갔어.

원래 있던 자리를 떠나갈 때
시간이 오래 걸렸듯이
다시 돌아갈 때도 시간이 오래 걸렸어.

원인 모를 호기심을 쫓을 때보다
더 크나큰 고통이 물밀듯 밀려왔어.

왜 이 곳을 떠났던 걸까? 뭘 위해서 떠났을까?
불꽃은 이제 그 자리에 없어.
시간이 너무 오래 지났거든.

어디에서 불꽃이 피어오르는지 알아내면
불꽃을 계속 피어오르게 하는 법도
알아낼 수 있을 것이라고 생각했어.

불꽃을 처음 떠났을 때, 단순
호기심 때문에 떠난 게 아니었다면
불꽃을 계속 피어오르게 하려는

목적으로 갔더라면

도중에 포기하지 않고 끝까지
가서 알아낼 수 있었을까?

아직 불꽃이 시작되는 곳을 찾지도 못했는데
불꽃이 피어오르는 이유조차 찾지 못했는데
불꽃이 벌써 전부 다 꺼져 버렸어.
바다는 더 이상 헤엄칠 수 없었어.

이제는 더 이상 불꽃과 함께
헤엄칠 수가 없거든.
바다는 또다시 홀로 남겨졌어.

불꽃이 오기 전처럼 고요한 일상을 되찾았어.
바다는 이따금씩 메마른 파도만을
수면 위로 뻗었어.

바다는 알고 있었을까?
불꽃이 시작되는 곳에 이미 갔다왔다는 것을.

불꽃이 더 이상 오지 않는 이유가
바다의 무지함 때문이 아니라

바다의 호기심 때문이라는 것을
바다도 알고 있었을까?
그 날, 바다는 불꽃이 어디에서 왔는지
찾아냈어.

하지만 바다조차 자신이
불꽃의 고향을 찾아냈음을
전혀 인지하지 못했어. 바보처럼.

바다가 불꽃의 고향을 찾아 뻗은 단단한 파도가
아직 피어나지도 않은 많은 불꽃들을
죽음으로 내몰았어.

불씨들은 끝내 꽃으로 피어나지 못한 채,
자신을 그토록 사랑한다던 바다의 손에
죽음을 맞이했어.

바다가 뻗었던 송곳보다
날카로운 파도는 방해물들이 아닌
불씨들을 전부 다 으깨고 자르고
부수어버렸어.

바다는 불꽃을 그리워하다가
조용히 눈을 감았어.
그리고 다시 눈을 떴어.

그러고는 앞으로는 다신 이유없는
호기심을 따르지 않겠다고
모래사장에 또박또박 적어넣었어.

그러고는 파도로 모래사장 속
다짐을 지워버렸어.

그리고 모래사장 위에 파도로 불꽃을 그려냈어.
바다 위에서 계속 바다를 지켜보던 구름은

모래사장에 그려진 불꽃 위에

따뜻한 봄비를 내렸어.

불씨는 구름이 준 선물이었어.
구름의 존재를 알지 못하는 바다는
그걸 알 리 없었지.

구름은 바다가 힘들어하는 것을
참고 있을 수 없었어.

이제 바다가 망가뜨린 불씨는 구름의
몽글몽글한 표면 위에서 치유되었어.

구름은 불씨를 통해서 바다에게 소중한 것을
알려 줄 수 있어 기뻤어.

이제 바다는 다신 그런 실수를
반복하지 않을 거야.
다신 그런 실수를 반복하지 못할 거야.

바다가 어설픈 그림실력으로

힘겹게 그려낸 불꽃이

봄비를 맞아 형태를 알아볼 수 없게 되었어.
바다는 형태가 일그러진 불꽃 그림을
파도로 쓸어내렸어.

마음에 불꽃을 심는다는 상상을 하면서
한 때 불꽃 그림이 그려져 있던

모래사장을 부드럽게 쓸어내렸어.
봄비가 그치고 다음 날 해가 떴어.

쏟아지는 아침햇살 사이
구름이 심어둔 불씨가 있었어.
불씨는 구름의 계획대로 모래사장에 콕 심겼어.

바다가 한 때 불꽃을 그렸던 자리,

정확히 딱 그 자리에
콕하고 심겼어.

바다는 자신의 마음 속에 심긴 불꽃과 함께
첨벙첨벙 헤엄치고 있었어.
마음 속 불꽃이 지쳐 사그라들 무렵,

모래사장 위에 불꽃이 피어났어.
바다가 망가뜨렸던 불씨가 구름의 치료를 받고
돌아온 거야.

다시 불씨 위로 불꽃이 피어나기 시작했어.
불씨를 꺼뜨리지 않는 이상 불꽃은 지속될 거야.
결국, 불꽃과 바다 그리고 구름은 모두
행복하게 잘 살게 되었대.

-Happy Ending-

어린이집 선생님들의 관점과 관념으로 가득 찬 동화
였다. 무엇을 전하고자 하는 지, 어떤 교훈을 담았는
지는 알기 어려웠다. 적어도 나는 그랬다.

상당히 추상적인 이야기. 원래 동화들이 대부분 추상적인 걸까? 그 이야기를 필사한 뒤 어린이집을 떠나려고 했다. 어린이집이 갑자기 소란스러워졌다.

어린이집 소속 아이가 산타할아버지의 가짜수염을 작은 고사리 손으로 잡아 뜯은 것이다.

아이의 격동적인 움직임에 의해 위태롭게 달랑거리던 이름표가 떨어져 바람에 날아갔다. 이름표에는 간단하게 "단"이라고만 적혀 있었다.

어린이집에서 난동을 부리고 있는 아이의 이름인 듯했다. 단이는 여전히 산타 할아버지와 실랑이를 벌이고 있었다.

단이는 산타 할아버지의 가짜 수염을 한 손으로 움켜쥐고서 고래고래 소리쳤다.

> "약아빠진 사기꾼 같으니라고!
> 진짜 산타할아버지는 어딨어요?"

어린이집에서 땀을 뻘뻘 흘리던 산타 할아버지의 정체는 어린이집 체육 교사였다. 잘려나간 가짜 수염과 분홍색 혀가 겹쳐 보였다.

체육 교사가 혓바닥을 내밀고 있었단 건 아니다. 평소 자주 "메롱~" 하고 혀를 내밀긴 하다만, 지금은 아니다. 상상 속에서 가짜 수염 위에 분홍색 혀를 덧댔을 뿐이다.

나는 잘려나간 가짜 수염을 멍하니 바라보면서 감이에게서 들은 그 날의 끔찍했던 이야기를 다시 회상해 보았다.

✝

타임캡슐
CH. 4

제4화

누명(陋名)

암호명. 무 武

그날 사건 당시, 분홍빛 도는 물컹한 혀의 끝자락이 소독도 제대로 되지 않은 싸구려 메스에 잘려 나갔다.

감이는 언어치료사인 척 위장해서 언어치료를 위해 혀를 잘라내야 한다고 주장하는 사기꾼들에 의해 혀를 잃었다.

그 당시 감이는 너무 어렸고 감이에게는 아무 선택의 여지가 없었다. 그 사기꾼들은 결국 언어 치료사인 척 위장해 사기를 친 혐의로 드러나 신문의 세 번째 면을 장식했다.

하지만 혀를 잘라서 팔아넘긴 인신매매단 조직의 일원이라는 사실은 드러나지 않았다. 그렇게 감이를 포함한 피해자들의 혀는 비밀리에 운영되는 인육점에서 노릇노릇하게 구워졌다.

언어장애라는 누명을 썼던 아이들은 정말 언어장애아가 되었다. 혀가 잘려 나갔기 때문이다. 그들은 사람들에게서 제멋대로 불렸다. 혀가 덜 자랐다는 오해를 받아 '기형아'라는 별명을 얻었다.

게다가 말을 제대로 못 한다는 이유로 '함묵증 환자', '장애인', '벙어리', '언어 장애인' 등으로 불려졌다. 말을 이상하게 한다는 이유로 뱀의 말을 하는 것이라 여기고 마녀, 무당 취급하는 사람들도 있었다.

혀가 회복되는 데에 시간이 걸렸기에 한동안 글로 대화해야 했다. 처음 보는 사람에게는 무조건 이 말을 써서 보여줬다.

"저는 말을 잘 못 해요. 정말 죄송합니다만,
글로 대화해도 될까요?"

그런 글귀를 보여준다고 해서 사람들이 믿어주진 않았다. 그 글을 본 사람들은 감이를 투명인간 취급하기 시작했다.

그렇게 감이에게 말을 걸어오는 사람들은 날이 가면

갈수록 눈에 띄게 줄어들었다. 말하지 못한다는 것은 무시의 이유가 되었다. 어떤 험한 말을 들어도 대항할 수 없었다.

말로 작은 일침을 가할 수도 없었다. 감이는 험한 말에 지혜로운 말로 반격할 수 없었다. 말을 잘 못하기 때문이었다. 똑똑하건 멍청하건 간에 상관없이 자신이 품은 생각을 말로 표현할 수 없었다.

혀에 문제가 생기면 그 문제의 대소 여부와 상관없이 발언에 어려움을 겪게 된다. 계속 다른 사람들의 말로 인해 상처받던 감이는 다른 사람들의 말들을 한 귀로 듣고 한 귀로 흘려버리기 시작했다.

그러지 않았다면 화병으로 일찍이 생을 마감했을지도 모르는 일이었다.

말을 제대로 할 수가 없게 되는 거다. 혀 도난 사건 이후로 감이는 다른 사람이 볼 수 없는 존재들과 대화를 할 수 있게 되었다.

말하지 못하는 감이가 마음속에서 외치는 말들이 다른 사람들의 눈에 보이지 않는 존재들의 귀에 들려왔다.

감이의 마음 소리를 들을 수 있는 존재들은 맑고 순수한 영혼들뿐이었다. 탁하고 더러운 영혼들이 감이의 마음의 소리를 듣는 것은 불가능했다.

아니, 감이뿐만 아니라 그 어떤 사람의 마음 소리도 들을 수 없었다. 하지만 그건 인간이 아닌 사탄에게는 해당하지 않는 사실이었다.

인간의 더러운 영혼이 아닌 사탄이나 마귀 같은 존재들은 인간들의 생각을 읽고 그에 걸맞는 사악한 생각을 넣곤 했다. 그들은 그들의 악한 힘으로 다른 사람들의 마음을 꿰뚫어 보았다.

그런 존재들의 힘을 이길 수 있게 하는 힘은 유일하신 신께서 가지고 계신다.

그들에게는 마음의 소리를 들려주는 대지의 언어가 통하지 않았다. 대지의 언어로 사람들의 마음을 전해주는 존재들은 생을 마감한 작은 날짐승들이다.

서로 다른 이유로 생을 마감한 날짐승들이 대지의 어딘가에 묻혀 사람들에게서 흘러나오는 마음의 소리를 들려준다.

쉴 틈 없이 재잘거리면서 사람들에게서 흘러나오는 마음의 소리를 들려주는 것이 생을 마감한 작은 동물들 일명, 전들의 일이었다.

공식적인 명칭이 '전'인 것은 아니다. 전할 전의 의미를 담아 전(伝)이라고 작명해주었다. 전은 그 누구의 눈에도 보이지 않는다.

전들은 아무도 모르는 대지의 어딘가에서 나를 포함한 영혼들과 감이를 포함한 사람들의 소통을 원활하게 할 수 있게 돕고 있는 존재들이다.

그들은 보이지 않는 어딘가에서 중요한 일을 맡고 있는 작고 소중한 존재들이다.

전의 크기는 종류별로 아주 다양하다. 무슨 기준으로 크기가 정해지는지는 잘 모르겠지만 아주 작은 전은 착용할 수도 있다.

시계를 차고 목도리를 매듯이 전을 휴대할 수 있다는 뜻이다. 이 책을 읽다보면, 어떻게 휴대하는지도 알게 될 것이다. 곧 설명할 테니까.

한 편, 감이에게도 다른 사람들의 눈에 보이지 않는 존재들의 목소리가 들려오기 시작했다.

감이가 왜 그렇게 되었는가에 대한 것 역시 알 수 없지만 그리 이상한 일은 아니었다. 단지 흔하지 않은 일일 뿐이다.

만일 감이가 우리의 말을 들을 수 없었다면 대화를

할 수 없었을 것이다. 마음의 소리를 일방적으로 듣기만 할 수 있었을 것이다.

그렇게 듣기와 말하기를 통해 우리의 대화가 성립되었다. 어떤 이들은 전들을 귀마개처럼 양 귀에 끼고서 통신기기처럼 쓰기도 한다.

누구에게 이야기하고 싶은지, 누구 이야기를 집중적으로 듣고 싶은지 전들에게 이야기하면

전들이 내 요구대로 상대방의 이야기를 들려주거나 상대방에게 내 이야기를 전해준다.

물론 상대방에게 내 이야기를 전해줄 때는 상대방에게서 허락받고 전한다. 거절당하면 상대방이 내 말을 전해 듣길 거절했다고 내게 전해준다.

전을 통해 대화하는 것을 거절당하는 것은 전화를 걸었을 때 상대방이 수신하지 않으면 전화가 연결되지 않는 것과 같다고 생각하면 된다.

인간에게 電 (번개 전) 話 (말할 화) 機 (틀 기)가 있다면 우리들 사이에선 통신기기로 전(伝)이 있다.

한 번 간택당하면 거절하지 않는 이상, 계속 함께하게 될 소중한 애완 혼들이다.

전들은 대부분 작기에 귀에 붙여 휴대할 수 있다. 안 쓸 때는 귀마개를 어깨에 걸치듯이 어깨 위에 걸어두면 된다.

전들을 귀마개처럼 귀에 끼는 것은 전들의 당연히도 전들의 허락하에 이루어진다.

아니, 전들의 요구 아래에 이루어진다.

살아생전에는 전들에게 주인을 고를 선택권이 없었다지만 사후에는 그렇지 않다. 사후에서 주인을 고를 선택권은 전들에게 있다.

하지만 주인들은 제 임의로 자신이 원하는 전들을 고를 수 없다. 다만, 전들이 자신을 간택했을 때 자신의 의지에 따라 거절할 수 있다.

전들은 종종 살아생전에 자신이 날짐승으로 살았을 때의 이야기를 들려주곤 한다. 동굴에 숨어 살다가 산사태로 죽은 어미 박쥐가 끝까지 품에 안고 있던 새끼 박쥐 이야기가 제일 마음 아팠다.

죽고 싶어서 죽은 게 아니니까 어미 박쥐에게 그렇게까지 죄송해하지 않아도 된다고 말해주었다. 전혀 위로가 안 될 말인 것을 알면서도 그런 말이라도 해주고 싶었다.

와닿지 않는 위로, 배려, 도움이어도 베풀어준다면 상대방을 위하는 마음만은 상대에게 와닿아 감동을 주지 않을까. 힘들 때 내 이야기를 떠올리며 힘을 얻지 않을까.

누군가를 위로하고 도와줄 때는 대가를 바라지 않고

누군가를 위하는 마음으로 도와야 한다고 생각한다. 누군가에게 대가를 요구하고 하는 배려는 봉사가 아니라 거래니까.

거래가 틀렸다는 말은 아니다. 다만, 거래와 봉사가 다르다는 것만큼은 인정해야 한다. 사실을 인정해야 사실을 기반으로 성장해 나갈 수 있다. 나는 누군가에게 기댈 수 있는 존재가 되고 싶다.

누군가에게 이해받고 싶어하는 사람이 아닌, 누군가를 이해하는 사람이 되고 싶다. 아직 그게 안 되기에 젓들의 살아 생전 이야기를 들으면 화가 나는 것일지도 모른다.

덫을 놓아 새를 잡아 죽이는 철부지 꼬마들의 이야기를 들을 때, 사격 연습용으로 총살당한 비둘기 이야기를 들을 때 이해하는 입장이 아니라 비난하는 입장이 된다.

비난한다고 해서 해결되는 것도 아닌데 자꾸 화부터

난다. 이성적으로 판단해서 해결 방안을 향해 나아가야 하는데 그럴 수 없다. 이래뵈도 나는 다른 이들에게 유령이라 불리는 존재다.

내 이야기를 들어줄 수 있는 이는 인간들 중에서는 감이가 유일하다고 볼 수 있다.

3살 아이들과 심오한 이야기를 나누는 것은 아직 나의 한계 밖의 일이다. 한편, 전들의 살아생전 이야기를 듣다 보면 문득 궁금해지는 게 있다.

나의 이야기는 뭘까?

나에게도 살아생전의 순간이 있었을까? 결론은 "아니오."다. 나는 단 한 순간도 사람이었던 적이 없다.

감이와의 대화 그 자체가 그것을 증명했다. 고인의 영혼은 감이와 대화할 수 없다.

고인의 영혼이 감이에게 말을 건다고 해도 고인의

영혼은 감이의 목소리를 들을 수 없다. 감이의 목소리를 우리에게 전해주는 존재는 전이다. 전이 통역하는 모습을 상상해 본 적 있는가?

아니, 없을 것이다. 이 책에서 전이라는 존재 자체를 처음 접했을 테니까! 사람들은 서로에게 말을 걸고 서로의 목소리를 듣는다. 나는 감이에게 말을 걸고 전의 목소리를 듣는다.

감이가 마음으로 말하지 않고 육성으로 말하면 전의 통역 없이도 감이의 말을 들을 수 있다. 하지만 감이의 마음 소리는 못 듣기에 감이가 말하면 감이 목소리 대신 전의 목소리를 듣는다.

전은 감이의 마음으로 하는 말을 따라 성대모사 한다. 하지만 내게 들려오는 소리는 전의 성대모사 뿐이다. 아까 설명했다시피 감이의 마음 소리는 전혀 듣지 못한다.

감이의 목소리를 듣는 것과 감이의 마음 소리를 전

으로부터 전해 듣는 것은 별 차이가 없다. 둘 다 인간들의 평범한 대화와 별반 다를 게 없다.

그런데도 굳이 감이와 대화할 때 감이가 마음으로 말하고 전들이 감이가 말하는 것을 전해주는 복잡한 절차를 거친다. 필요 없어 보이는 작은 절차 하나하나에도 다 이유가 있다. 나와 감이의 대화는 다른 사람들이 보기에 이상해 보일 수밖에 없다.

그들은 나를 보지 못한다. 감이가 내게 말을 걸면 그들의 눈에 감이가 허공에 대고 이야기를 나누는 것으로 보인다. 다른 사람들은 날 볼 수도 들을 수도 없다.

듣기와 말하기가 성립이 안 되기에 대화가 성립되지 않는 것이다. 서로 듣지 않고 말하지 않으면 대화가 시작될 수도 진행될 수도 없다. 그런 대화는 마무리조차 제대로 할 수 없다.

나는 나와 같은 순수한 영혼들에만 주어진 전들을

착용하고서 매일 들려오는 온갖 소리의 초점을 감이에게로 맞췄다.

내게 말 걸 수 없는 남의 마음 소리를 듣는 것보다 감이의 마음 소리를 듣고 함께 대화하는 것이 더 낫다고 생각했기 때문이다.

희한하게도, 감이는 우리를 보기까지 한다. 정말 드문 일이라고 지나가던 영혼이 말해주었다. 다른 영혼들의 이야기를 들어보니 그렇게까지 희한한 경우는 아니라고 한다.

종종 우릴 보는 존재들이 인간 중에서도 있었으며 우릴 본다고 해서 특별하거나 대단하거나 특별히 악랄하거나 하진 않았다고 한다. 우릴 본다고 해도 그저 평범한 사람 중 하나일 뿐이라는 뜻이다.

심령술사들은 우리들의 대화를 심적 대화라고 한다.
감이의 혀를 자른 사람들의 궁극적인 목표는 감이의 고통이 아니었다. 그들의 궁극적인 목표는 감이의 신체를 이용하는 것이었다.

그들에게 감이는 인간이 아니라 돈벌이 도구였다. 그들은 감이를 하나의 인격체가 아닌 쓸 수 있는 만큼 최대한 쓰고 버릴 소모품으로 여겼다. 놀랍게도 그들이 중시한 건 감이의 건강이었다.

감이가 건강해야 돈벌이에 유용하게 쓸 수 있다는 것이 그들의 의견이었다. 감이는 그들 손에 잘린 혀를 그들 손에 치료받았다. 그들은 수확을 마친 밭을 다시 가꾸듯이 감이를 정성껏 치료했다.

그들의 정성에는 누구도 변호하지 못할 악의가 담겨 있었다. 다시 혀를 갖게 되었지만 제 것이 아닌 혀는 적응에 시간이 오래 걸렸다. 결국 감이는 정말 언어장애인이 되고 말았다.

감이를 계속 도구로 사용하고자 하는 욕심이 두 눈을 붉게 물들였다. 필요에 의해 감이를 해치고 필요에 의해 감이를 치료했다. 감이는 돈벌이 도구 그 이상도 이하도 아니었다. 그들도 범죄자 그 이상도 이하도 아니었다.

그들의 범죄는 그들의 실수로 인해 세상에 드러나게 되었다. 언어치료사인 척 위장해 보호자 없는 아동들을 데려가 언어치료를 빌미로 폭행한 혐의로 기소되었다.

그들이 처리하지 않은 채 쓰레기장에 내다 버린 CCTV 자료가 그들의 범죄를 증명했다. CCTV가 경찰의 손에 들어가기까지의 여정은 우연과 우연의 연속으로 이루어져 있다.

어느 날, CCTV가 갑자기 원인 모를 이유로 고장났다. 그들은 고장난 CCTV를 고치지 못해 CCTV 속 영상을 삭제하지도 못했다. 버려진 CCTV는 고물상 주인에 의해 고쳐졌다.

호기심에 CCTV 속 영상을 들여다 본 고물상 주인은 바로 경찰에 신고했다. 그들의 눈과 귀를 즐겁게 하던 CCTV 영상들이 세상 사람들이 경악을 금치 못하게 했다.

덩치 큰 어른들이 치사하게도 아이 한 명을 대상으로 잔인하게 폭력을 행사하고 있었다. 밖에서 자신의 차례를 기다리고 있는 아이들은 저마다 이상 증세를 보이고 있었다.

CCTV 속 아이들을 찾지 못해 경찰서가 발칵 뒤집어졌다. 피해자들이 사건 현장에서 사라진 것이다. 언어치료센터에는 단 한 명의 아이도 남아 있지 않았다.

소중한 인격체들이 악인들의 돈벌이 도구로서 잡혀간 것이다. 한편, 조직원들은 경찰들에게 잡힌 이들을 칭송했다. 희생자라 불렀다. 진짜 희생자들은 범죄자 취급받으면서 어딘지도 모를 지상지옥으로 처참히 끌려갔다.

그들이 범죄를 적발당해 교도소에 투옥된 이후, 감

이도 감금 생활을 시작하게 되었다. 혀를 빼앗기고 감금된 감이는 감이가 감금되기 이전에 감금되어 있던 영혼들과 대화를 나누었다.

사람들은 허공에 대고 이야기를 나누는 것 같아 보이는 감이를 욕하고 비난했다. 감이와 같이 잡혀 온 아이들도 감이와 같은 상황에 놓였다.

그들은 아이들을 구타하고 치료하길 반복했다. 의뢰처에서 신체 부위를 요구해 오면 거뜬히 내어주었다. 물론 당사자의 동의 따윈 구하지 않았다. 잔혹한 그들에게조차 낭비는 금물이다.

그들은 아이들의 손가락을 인공 손가락으로 대체했다. 진짜 손가락은 의뢰처에 보내졌다. 인공 장기, 인공 다리, 인공 팔 등등 시간이 갈수록 아이들의 신체는 인공 신체로 대체되어 갔다.

인공 신체로 대체하는 데에는 한계가 있었다. 한계를 넘었거나 건강이 너무 쇠약해져서 더 이상 쓸 수 없는 아이들은 내다 버렸다.

그들은 아이들을 내다 버렸을 때 자신들에 대해 고발할까 두려워 매일 세뇌훈련 시간을 가졌다.

그들에 대해 누구에게도 말해선 안 된다고 폭력을 동반한 세뇌 교육을 매일 반복했다. 그들은 아이들 사이를 이간질하는 것도 좋아했다. 아이들이 서로를 적으로 삼게 했다.

때리고 구타할 때, 아이 중 하나의 이름을 대며 그 아이가 때리라고 시켰다고 말하고 구타당한 아이와 누명 쓴 아이를 서로 싸우게 하고 구경했다. 그리고 녹화했다. 녹화된 폭력적인 영상들은 그들의 돈벌이 수단 중 하나였다.

그들은 아이들이 싸우는 모습과 그들이 아이들을 학대하는 모습 하나, 하나 빠짐없이 전부 녹화했다. 그들이 하는 범죄를 모두 그들의 의지만으로 녹화하고 기록했다. 녹화 자료들과 기록을 관람하는 것은 그들의 취미였다.

악하고 더러운 취미였다. 그들은 아이들을 싸우게 했고 그들 자신도 범죄자들끼리 싸웠다. 그들에게 적군은 자신을 제외한 전부였다. 그들의 유일한 아군은 자기 자신이었다.

그래서인지, 당시 감이를 잡아온 사람들 사이에서는 불길한 분위기가 지속되고 있었다. 그들 중 누가 죽어도 이상하지 않을 분위기였다.

고인들의 영혼은 감이의 마음 소리를 들을 수 없지만 감이가 육성으로 말하는 것은 들을 수 있다. 그들은 끊임없이 서로를 위로하고 다독여 주고 응원해 주었다.

한편, 사람들은 감이를 그저 언어장애인으로 보고 무시했다. 그들에게 연약함은 무시의 이유였고 무시는 자기 자신의 가치를 올리기 위한 노력이었다.

아이들은 자의와 상관없이 각자 범죄자들이 정한 장소에 갇혀 있었다. 갇힌 곳은 아이들에게 숙소와도 같았다. 숙소가 되어선 안 될 곳이 그들에게 숙소가 되었다. 감이도 갇힌 아이들 중 하나였다.

범죄자들의 요새로 쓰이던 폐건물에서 감이는 남자 화장실에 갇혀 있었다.

아무도 안 쓰는 폐건물과도 같은 곳의 화장실에 누가 갇혀 있을지도 모른다고 생각하는 이는 아무도 없었다. 다만, 폐건물에 대한 흉흉한 괴담들만이 나돌아다닐 뿐이었다.

하지만 하루 중 대부분의 시간을 보내는 곳은 늘 바뀌었다. 고문 장소에서 하루 중 대부분의 시간을 보냈다. 고문받고 치료받길 반복했다. 하지만 상처받은 마음은 누구도 치료해 줄 수 없었다.

나였다면 남자 화장실의 잠긴 문을 쉽게 통과해서 빠져나갈 수 있었을 것이다. 나는 아직 내게 물리적

충격을 가할 수 있는 존재를 만나보지 못했다.

오히려 무언가를 잡으려 할 때마다 물건이 내 손을 공기처럼 통과해 지나가서 힘들 정도다. 책도, 문도, 물도 나를 그저 통과해 지나갈 뿐이었다.

그래서 감금과 관련된 걱정 하나 없이 살아왔다. 아니, 애초에 보이지도 않는 존재를 가둘 수 있는 자가 있긴 한가?

감이가 겪은 잔인한 범죄를 회상하길 멈추고 나로 옛일을 회상하게 한 산타할아버지의 빨간 모자를 올려다 보았다. 어린이집의 잠긴 문 너머로 산타 할아버지가 아이들이 떠난 교실을 청소하고 있었다.

아까 언급했다시피 나는 감금될 수 없다. 그렇기에 어린이집의 잠긴 창문은 나를 막을 수 없다. 다른 사람들에게 보이지 않는 투명한 몸으로 문을 통과해서 어린이집에 갈 수도 있었을 것이다.

하지만 난 어린이집 주변 고양이들과 노는 것으로 만족하기로 했다. 고양이들은 나를 좋아했다. 하지만 각이를 유난히 싫어했다. 아니, 무서워했다. 무서워하는 건 각이도 마찬가지였다.

각이는 고양이를 굉장히 무서워했다. 애초부터 각이가 무서워하지 않는 존재는 없었다. 각이는 각이 자신과 같은 존재인 나조차도 무서워했다.

3살 아이들은 물론이고 감이를 제외한 모든 걸 무서워했다. 각이는 각이 자신조차 무서워했다. 원인불명, 아무리 생각해 보아도 이유를 알 수가 없었다.

내가 어린이집에 안 가길 선택한 이유는 하나였다. 자책에 의한 자발적 자격 박탈. 내게는 더 이상 어린이집에 갈 자격이 없다고 생각했다.

아이들을 볼 면목이 서지 않는다. 알레르기가 정말 무서운 거구나! 아이들을 본의 아니게 아프게 했다. 너무 미안했다. 그래서 자신에게 어린이집에 갈 자격을 박탈시켜 버렸다.

어찌 보면 이건 내게 인과응보와도 같다. 아이들의 처지를 생각해 보지 않은 것에 대한 인과응보다. 인과응보 인간 응보, 인과응보를 빠른 속도로 반복해서 말하자, 발음이 점차 흐려졌다.

인과응보인간응보인…. 의미조차 알 수 없는 헛소리를 말하기를 반복한다. 나는 인간인가? 누군가에게 보일 수 없는 존재도 자신을 인간이라고 칭할 수 있는가? 기록 속에 쓰여 있는 이야기 중 인간에 관한 이야기를 자세히 들여다보았다.

이 밖에도 다양한 이야기들을 읽었다. 읽다 보니 처음부터 끝까지 다 읽게 되었다. 먼지, 세균, 곰팡이 등 모든 것들의 존재 여부가 기록을 통해 입증되어 있었다. 하지만 내 이야기는 눈 씻고도 찾아볼 수 없었다.

특정 인물에게만 보이는 유령에 관한 이야기는 없었

다. 사람들은 내가 악마라서 기록되지 않은 것이라 했다. 아무 증거 없는 것을 증거로 나를 악마 취급 했다.

기록 속에는 내가 악마인 것을 증명하는 이야기가 없다. '내가 악마인 것은 기록으로 입증하지 않아도 되고, 내가 존재한다는 것은 기록으로 입증해야 한 다.'라니,

이것이야말로 내로남불의 정석이지 아니한가?

기록 속에서 '나'를 찾아내면 '나'의 존재를 인정해 주겠다는 것. 그것이 그들이 내세운 조건이다. 너는 무슨 배짱에서인지 그 조건을 순순히 승낙했다.

그렇게 기록 속에서 '나'를 찾아내기 위한 녀석의 연 구가 시작되었다. 나를 위해 시행하는 연구를 막아 선 자는 나를 미워하는 자들, '다른 존재들'이 아니 라 '나'였다.

✝

타임캡슐

제5편

연구(研究)

암호명. 무 武

내가 녀석의 연구를 막아섰다.

녀석으로 하여금 나를 악마라고 인정하게 했다. 내가 쓴 악마라는 누명을 벗기지 않아도 된다고 했다. 연구를 포기하라고 했다. 그래야 녀석에게 평화로운 삶이 돌아올 테니까. 그런데 예상외의 상황이 발생했다. 평화 따윈 돌아오지 않았다.

녀석에게 돌아오는 것은 의심과 조롱 그리고 연구를 하지 않겠다는 각오를 증명하기 위해 치러야 하는 복잡한 절차들뿐이었다.

내가 내 손으로 직접 환난의 문을 열어젖힌 것이다.

연구를 포기한다고 해서 사람들과 잘 어우러져 지낼 수 있는 것도, 연구한다고 해서 더 미움받는 것도 아니었다. 녀석을 향한 시선과 편견들은 집요하게도 지속되었다.

연구를 포기하겠다고 한 녀석, 감이에게 여러 숙제

가 주어졌다. 날마다 감이가 감이만이 볼 수 있는 것들을 무시하고 산다는 것을 증명해야 했다.

연구를 포기하는 것에 대한 희망이나 의미를 느끼지 못하고 다시 연구를 시작했다. 연구 실패 선언을 마친 뒤라 더 이상 대놓고 연구할 수는 없었다. 그래서 연구는 비밀리에서 몰래 진행되었다.

비밀 연구를 마친 후 그 연구 결과를 떳떳이 밝힐 것이라고, 미안하다고 싹싹 빌게 할 것이라고, 녀석이 당당하게 외쳤다. 그 외침이 녀석의 다짐이었다.

그때는 알지 못했다. 그 다짐이 얼마나 질길지 얼마나 오래 갈지 전혀 예상하지 못했다. 하지만 그건 전혀 중요하지 않았다. 연구 결과를 밝힐 기회는 영영 떠나가고 말았으니까.

비밀 연구는 그리 오래가지 못했다.
금방 꺼져버린 작은 불처럼, 아무리 부채질해도 피어나지 않고 시들어만 가는 화로 위 작은 불이 금방 꺼졌듯, 비밀 연구도 그리 오래가지 못했다.

비밀 연구는 어느 순간부터인가 공개적으로 진행되기 시작했다. 놀랍게도 허가를 받은 것이었다.

나를 인정하는 사람들이 생겼다. 그들은 놀랍게도 기록을 근거로 날 인정했다. 기록에서 감이처럼 다른 사람들과 다른 이질적인 감각 기능을 보유한 사람들을 여럿 발견한 것이다.

나의 존재를 인정하지 않는 사람들만 마주하던 감이에게는 그들의 때늦은 인정조차도 감사할 이유가 되었다. 그들은 나를 감이만이 볼 수 있는 환상의 존재로 여겼다. 하지만 더 이상 악령 취급하지 않았다.

사유는 근거 불충분이었다.
악령에게 주어진 불가능이란 배신이다. 배신 자체가 악랄한 악령과 어울리지 않느냐고 질문한다면

미워하는 사람을 미워하는 게 배신인지, 사랑하는

사람을 버리고 떠나는 게 배신인지 물어볼 것이다. 악령들끼리는 서로를 배신할 수 없다.

나는 아까 언급했듯이 감이를 힘들게 하는 악령들과 영혼들을 막아내곤 했다. 그들은 나의 공로를 인정했고 내가 벌이는 폴터가이스트 사건들을 있는 그대로 인정해 왔다.

하지만 내 존재를 인정하는 그들도 나를 제대로 알지는 못했다. 내가 무엇인지조차 알지 못했다. 하지만 그들은 내가 존재한다는 것을 인정한다.

그렇다고 해서 모든 사람의 인식이 바뀐 것은 아니었다. 계속 내 존재를 인정하지 않는 사람은 나의 존재 여부 자체를 지속해서 부인해 왔다.

나를 인정하는 자들과의 합의로 연구가 계속 진행되었다. 감이의 표정이 누구도 인정해 주지 않는 연구를 진행할 때보다 한결 밝아졌다. 이제는 그 연구가 누구에게도 인정받을 수 없는 연구가 아니다.

그 연구가 실패 또는 성공으로 마무리 지어지기도 전에 그들과의 이별을 맞이했다. 명목상으로는 자퇴였지만 거의 퇴학에 가까웠다.

그게 끝까지 내 편을 든 것에 관한 결과다.

그 어떤 보상도, 의미도 없는 희생. 그것이 나를 향한 희생이었고 너의 희생이었다. 녀석이라는 호칭 대신 너라는 호칭을 쓰고자 한다.

녀석이라니, 너무 무례하지 아니한가? 하긴, 필자가 원래 무례한 자이긴 하다.

그래, 네게 나라는 무거운 짐을 지운 것만으로도 필자는 이미 무례한 자인 것이다.

더 이상의 무례는 범하고 싶지 않았다. 내가 누구인지 사실 별로 궁금하지 않았다.

그냥 지낼 수 있는 곳이 있단 것과 먹을 수 있는 식량이 있단 것과 깨끗한 물로 씻을 수 있단 것. 그 자체로 충분했다. 하지만 네가 그래도 원하기에 같이 '나'의 정체를 연구하곤 했다. 그렇게 다시금 평범한 나날이 지속되었다.

버려졌던 네게도 다시금 기회가 주어졌다. 그 누구도 원치 않는 기회였다. 너를 쫓아냈던 시설에서 다시 너를 데려간 날, 너는 가기 싫다고 울었다. 나는 그런 네가 답답해서 울었다.

나를 연구하지 말라고 다른 사람들이 못 보는 존재를 보는 것을 비밀로 하라고 울면서 부탁했다. 너는 너를 위하는 내 진심을 그제서야 발견했고 나의 부탁을 들어주었다.

나는 네가 네게 짐이 되었던 '나'라는 존재를 숨긴 채 지낸다면 행복해질 줄 알았다. 하지만 너는 그러지 못했다. 그러지 못한 이유의 근본에는 또 내가 있었다. 연구는 일찍이 그만두었어야 했다. 나조차 잊고 있었던 연구를 너는 계속 이어갔다.

내가 존재하기 때문에 너의 연구는 막을 내리지 않았다. 나의 존재를 부정하고 감이의 시야와 감각을 부정한 그들은 기록으로 감각과 '나'라는 유령을 입증하면 인정해 주겠다고 약속했다. 그들은 그들의 너와 했던 약속을 기억하고 있을까?

너 홀로 누구도 기억 못 할 약속 하나 지키기 위해 왈가왈부하고 있지 아니한가? 아니, 기억할 리 없다. 그들이 네게서 문제 삼을 수 있는 것들은 감각만이 아니다.

다른 사람이 못 보고 못 느끼는 존재를 보고 느낀다는 것 외에도 네가 미움받을 이유는 넘치게 많다. 넘치게 많은 이유를 하나라도 없애고 싶었다. 그 이유가 '연구'였다. 아무도 인정하지 않는 존재를 외롭게 연구하는 네가 답답했다.

그래서 네가 비밀 연구 따위 내려놓길 바랐다. 나를

연구하는 삶 대신 너, 감이을 위한 삶을 살길 바랐다. 내가 누군지 따위는 궁금하지도 않으니까.

이렇게 글로 써서 보니까 정말 오글거린다. 손발이 오그라드는 것 같아. 오그라들고 오그라들어서 엄청나게 작아지면 이 수첩이 엄청나게 커 보이겠지?

그렇게 작아지면 더 이상 의자에 앉아서 책상에 엎드려 있을 수도 없을 것이다.

사실 이 자리가 정식적으로 내 자리로 판명이 난 건 아니다. 모든 책상에는 그 책상 주인의 이름이 인쇄된 이름표가 붙어 있다.

하지만 내 책상에는 없다.
물론 내 이름을 아는 자도 없다.

나조차 내 이름을 모른다. 나의 존재를 인정하지 않고 나를 적대하는 자들은 친히 내게 이름을 지어주었다.

없을 무를 뜻하는 한자, 無(무)가 나의 이름이다.

그들은 나의 이름을 없을 무로 지었지만 나는 내 이름을 武로 짓기로 했다.

내 존재 자체를 인정하지 않는 그들에게는 내 이름을 지어줄 자격이 없다. 자격 박탈이다. 나는 나 자신에게 새로운 이름을 지어주기로 했다. 그 누구의 허락도 받지 않은 채, 그저 내 임의대로 한 번 내 이름을 지어 보았다.

내가 지은 나의 이름은 무(武), 굳셀 무라는 뜻이다. 하지만 그건 별명일 뿐이다. 내가 자신에게 지어준 별명. 누구도 인정하지 않는 이름은 이름이라 할 수 없다고 한다. 인정받지 못한 이름을 그저 별명일 뿐이다.

그래서 내가 원하건 안 원하건 내 실명은 무다. 없을 무. (無) 누구에게도 인정받지 못하는 이름 무와 누구나 인정하는 이름, 그 사이에서 오늘도 나는 없을 무와 굳셀 무 사이를 이리저리 오가길 반복하고 있다.

각자에겐 각자에게 주어진 이름이 있다. 이름을 가진 모두가 그렇다고 단언할 수는 없지만 적어도 무, 감, 각. 우리는 각자의 이름에 대한 값을 치르며 살아가고 있다.

원하건 안 원하건 간에 각자의 이름에 맞는 능력을 수행하고 수행의 결과를 몸소 겪으며 살아가고 있다. 내 이름에 관한 이야기는 이미 했으니 감이 이름에 관한 이야기를 하도록 하겠다.

감이는 느낄 감(感)이라는 한자 이름에 걸맞게 누구에게도 보이지 않는 존재, 누군가에겐 없는 존재 취급당하는 존재를 보고 듣고 느낀다. 이름을 지어준 사람의 뜻이 이루어진 것이다. 이 뜻을 운명이라고도 한다.

✝

타임캡슐

제 6 편

운명(運命)

암호명. 무 武

감이는 자신이 느낄 감이라는 이름을 가지고 살아가는 것을 자신의 운명으로 여겼다. 정말이지, 감이는 자신의 운명을 싫어하고 혐오했다. 싫어하고 혐오하면서도 운명에 맹신하는 운명론자로 살아갔다.

운명론은 아직 기록으로 입증되지 않았다. 어쩌면 운명론이 사실이 아니라서 어차피 인정될 수 없는 존재였을지도 모른다. 감이는 자신이 상사병에 걸릴 운명이라고 말하곤 했다. 누굴 사랑하고 그리워하다가 병에 걸릴지는 알 수 없었다.

감이조차 자신이 누굴 좋아할지 알지 못했다. 적어도 지금은 없다. 감이는 외톨이였기에 누군가를 좋아하거나 누군가가 좋아하는 대상이 되지 못했다.

하지만 대체 무슨 이유에서인지 모두가 인정하는 기록으로 인정된 것이 아닌 것은 절대 인정하지 않는 감이는 누구도 못 말리는 운명론자였다. 감이가 원해서 그렇게 된 것은 아니라고 들었다. 누군가에게 주입식으로 교육을 받은 것이다.

정확히 말하자면 주입식 교육이 아니라 세뇌라고 말하는 게 더 정확할 것이다. 정말 여러모로 사연이 가득한 친구다. 망각 속에 묻혀버린 나의 기억에는 어떤 사연이 있을까?

나는 계단 난간에 있기 전 어떤 삶을 살았을까? 아니, 애초에 내가 살아온 삶이 있기는 한 걸까? 궁금하다. 어쩌면 그날, 내가 계단 난간에서 원인 모를 이유에서 15세로 추정되는 모습으로 만들어졌을지도 모른다.

그러니까 내 말은 계단 난간에서 15세쯤 되어 보이는 사람의 모습으로 만들어졌을지도 모른단 거다. 만일 그렇다면 내 나이를 확정지을 수도 있다. 5살! 계단 난간에서 눈을 뜬 후 5년이라는 시간이 지나가고 있다.

물론 그건 말도 안 되는 가설일 뿐이다. 저주받을

짓을 하는 나쁜 사람의 삶을 살았겠지. 그러지 않고서야 이런 벌을 받을 리 없다.

내가 계단 난간에서 감이를 마주친 그날, 2월 29일이 나의 생일일지도 모른다. 감이를 마주친 날 태어나지 않았더라도 그 날이 알고보니 내 생일이었을지도 모른다.

15년 전 2월 29일에 태어났을 수도 있다. 그래서 만일의 가능성을 대비해 그날 계단 난간에서 감이를 처음 마주한 이들은 2월 29일을 생일로 기념하고 있다.

아마 다들 통상적으로 2월이 28일까지밖에 없다고만 있을 것이다. 아닌가? 만일 윤달의 존재를 알고 있다면 자신의 지능에 감탄하며 손뼉 쳐도 좋다.

하지만 4년에 한 번 2월이 하루 늘어나는 연도가 있다는 것을 아는 사람이 대단히 많다면, 다들 2월 29일의 존재를 알고 있어서 2월 29일의 존재를 아는 것이 모르는 것보다 통상적이라면….

뭐 어쩔 수 없다. 만일 그렇다면 다들 2월 29일의 존재를 알지 못하리라 생각한 나의 어리석음을 비웃어도 좋다. 아니, 안 좋다. 그러니까 내 말은 비웃어도 상관없단 뜻이다.

나 혼자 이상한 오해를 했으니 비웃음을 당해도 싸다. 만일 자신이 착하단 것을 입증하고 있다면 비웃지 말고 인자한 미소를 짓고 있어도 상관없다. 솔직히 말해서 표정은 각자의 자유다.

그래도 어딘가에는 2월 29일의 존재를 모르거나 인정하지 않는 사람이 있을지도 모른다. 정말이다! 하지만 2월 29일의 존재를 인정하든 안 하든 상관없이 2월 29일은 4년에 한 번씩 반드시 찾아온다.

윤달이 있는 해는 365일이 아니라 366일을 1년으로 보내게 된다. 감이는 이번 해가 윤달인 것을 상당히 싫어한다. 학교생활이 1일 늘어나는 것도 용납하고 싫지 않다는 게 감이의 의견이었다.

학교에서 홀로 따돌림당하는 학생들은 대부분 으레 그렇다. 학교생활을 유쾌하게 보내지 못한다. 감이가 이번 연도에 윤달이 있다는 것을 싫어하듯이 나도 윤달에 있는 내 생일을 그다지 좋아하지 않는다.

생일이 2월 29일이라는 것은 그다지 유쾌한 일이 아니다. 정말이다! 4년에 한 번꼴로 찾아오는 생일 불공평하다.

어떤 사람들은 매년 사랑하는 사람들과 모여 생일을 축하하는데 혼자인 사람은 자축이라도 하는데! 내 생일은 왜 4년에 한 번꼴로 온단 말인가?

생일을 기다려야 하는 시간이 너무 길다. 시간은 그렇다 치자. 나만 2월 29일 생일 리는 없을 테니. 그런데 숨어서 생일 축하해야 한다는 것은 너무한 것 아닌가?

아니, 축하할 수 있다는 것만으로 감사하기로 하자. 트집을 잡으면 무엇이든 불만스러워진다. 처리하거나 해결할 것 아니면 굳이 매여있지 말자. 아니면 적극적으로 해결 방안을 구상하여 원하는 것을 성취하던가!

의미 없는 불만은 해결책 없는 불만이라고 생각한다. 적어도 나는 그렇다.

"배부른 자는 꿀이라도 싫어하고 주린 자에게는 쓴 것이라도 다니라" 잠언 27장 7절 말씀

2020년 2월 29일을 시작으로 감이와 각이는 4년에 한 번꼴로 내 생일을 축하 해주고 있다. 그래, 감이와 만난 첫날 그날부터 감이의 연구는 시작되었다.

정체성을 잃은, 다른 사람들에게 보이지 않는 우리의 정체를 밝혀내기로 약속했다. 나는 그 약속에 함께하지 않았다. 같이 있지 않았단 건 아니다. 내 이름도 약속 아래 있다. 하지만 난 그 약속에 동의한

적 없다.

누군가의 짐이 되게 하는 그 약속에 함께하겠다고 한 적 없다. 내가 함께하지 않겠다 한 것은 무의미 했다. 소용없었다. 감이는 우릴 처음 본 그날을 우리 의 생일로 정했고 그렇게 우리의 정체성을 알기 위 해 달려 나가는 긴 여정이 시작되었다.

우리는 4년에 한 번씩 감이와 처음 만난 그날을 기 념한다. 감이는 그 날을 크리스마스와 부활절 다음 으로 가장 중요한 날로 칭했다.

무슨 일이 생겨서 축하하지 못했을 때는 다른 날을 대체 생일 기념일로 정해서 생일파티를 연다. 보통 양력을 기준으로 2월 29일에 생일을 기념한다. 하지 만 이번엔 감이가 다니는 학교의 바쁜 일정으로 생 일을 기념하지 못했다.

그래서 양력 대신 음력을 기준으로 2월 29일에 생일 을 기념하기로 했다. 음력 기준 2월 29일은 양력 기준으로 4월 7일이다. 감이가 검정고시를 치는 날 바로 다음 날이다.

지난 생일에는 생일이 아닌 다른 날을 대체 생일 기념일로 잡아야 했다. 음력도, 양력도 모두 놓쳐버렸기 때문이다. 우리의 생일 축하는 대부분 이렇게 전개된다.

집 앞 편의점에서 감이와 각이가 그동안 모은 용돈으로 케이크와 음료수를 산다. 상상도 못 할 타이밍에 깜짝 생일파티를 연다. 우리가 발견된 시각은 각자 다르다. 같은 경우도 더러 있다.

하지만 그리 흔치는 않다. 나와 생일이 같을지언정 성격은 같지 않은 것이다. 감이가 인간들에게 보이는 투명 인간이었다면 나는 나와 같은 존재들에게 보이는 투명 인간이었다.

하지만 서로에게는 그렇지 않았다. 감이와 나는 아직 서로에게 그 어떠한 이유에서도 투명 인간이 된

적 없다. 서로는 서로에게만 존재했다. 다른 누군가에게 무시당한 이들은 감이와 나는 자신이 무시당한 만큼 서로를 존중했다.

생일파티 방식과 내용은 늘 바뀌기에 예측불허하다. 이번 생일에는 어떤 파티를 해주려나? 궁금하다. 아니, 그보다 이름에 관한 이야기를 하다 말고 갑자기 생일파티 자랑을 하게 된 까닭이 더 궁금하다.

다시 본론으로 돌아가서 이름을 소개하는 것을 마무리하도록 하겠다. 솔직히 이름은 간단하게 한 문장으로도 소개할 수 있다.

無(없을 무) 나를 감이로 하여금 (느낄 감) 感 느끼게 하는 (깨달을 각) 覺 각이.

이렇게 한자의 뜻을 담아 한 문장으로 연결할 수 있다. 서로 다른 이들이 우연히 만나 서로의 이름이 한 문장으로 연결된다는 것, 그것을 발견했다.

우연이라기엔 너무 정해져 있는 것 같을 때가 많다. 그럴 때면 나도 자꾸만 감이 맹신하는 운명 이야기를 진지하게 듣게 된다.

그도 그럴 것이 지금까지 단 한 번도 감이가 하는 운명 이야기가 현실로 이루어지지 않은 적이 없다.

이건 단순한 운명이라기보다는 예언에 가까워 보인다. 감이는 예언이라는 말을 부정했다. 다른 사람이면 몰라도 자신이 그런 말을 할 가능성은 없을 거라고 확신했다.

누구에게도 보이지 않는 존재의 자리를 마련해 주는 사람은 아무도 없다. 하지만 감이의 옆자리를 탐내는 사람도 아무도 없다. 감이의 옆자리에 앉을 존재가 나뿐이라는 것은 내게 친구가 있다는 뜻과 동시에 감이에게 친구가 없다는 뜻이다.

✝

타임캡슐

제7편

친구 (親舊)

암호명. 무 武

감이에게 친구가 아예 없는 건 아니다. 감이의 유일무이한 인간 친구는 배였다. 안타깝게도 난 인간이 아니다. 아니, 어쩌면 인간일지도 모른다. 하지만 현재 밝혀진 바로는 인간이 아니다.

각이도 나와 같다. 그래서 둘 다 감이에게 인간 친구가 되어 줄 수 없다는 것을 안타깝게 생각하고 있다. 유령과도 같은 존재로서 친구가 되어 주는 데에는 꽤 한계가 있다.

배가 감이에게 친구가 되어 주고 있다는 것은 각이와 나에게 꽤 기쁜 일이었다. 만일 계속 감이의 좋은 친구로 있어 줬다면 "참 잘했어요." 도장이라도 꽝꽝 찍어줬을 텐데, 이제 더 이상 그럴 수 없다.

이제 더 이상 배가 감이의 친구가 아니기 때문이다. 아니, 애당초 배가 감이의 친구였던 적이 있었던가?

배와 감, 그 둘의 행복은 언제나 서로 반비례했다.

배의 불행은 감이의 행복과도 같았다.

배는 힘들때만 감이를 찾았다. 하지만 그렇지 않을 때면 자신을 힘들게 한 친구들에게로 돌아가 그들과 어울려 놀면서 그들의 편에 서서 감이를 비웃고 헐뜯곤 했다. 욕도 서슴지 않았다.

그것조차 우정으로 받아들이는 바보는 다른 누구도 아닌 내 유일한 친구, 감이였다.

한 때, 감이의 친구였던 배의 이야기는 여기서 관두도록 하겠다. 어차피 배는 다시 돌아올 존재다. 무리에서 버림받아 감이에게로 돌아와 감이의 절친으로 지내다가 또다시 감이를 떠나가길 반복할 것이다.

겨울이 오면 떠나가는 여느 철새들처럼 배는 감이를 찾아오고 떠나길 반복한다. 예전부터 지금까지, 앞으로도 계속 그럴 것이다.

그래서 배를 도무지 감이의 친구로 여길 수 없었다.

자신이 어려우면 감이의 도움을 받다가도 자신에게 어려움이 없으면 등을 돌리는 배.

그 배를 자기 친구로 받아주고 버려지길 반복하는 감. 나는 감이가 측은하고도 답답했다. 하지만 그렇다고 해서 내가 도움이 되어 줄 수 있는 건 아니었다.

각이의 생각은 달랐다. 각이는 자신이 감이에게 친구가 되어 줄 수 있다는 것에 대해 상당히 만족했다. 만일 다른 사람들이 우릴 볼 수 있었다면 우린 이렇게까지 감이 곁에만 꼭 붙어 있을 수 없었을 것이다.

감이의 양옆에 앉아 있기도 힘들었을 것이다. 다른 사람들에게 대신 대항해 줄 수 없는 것을 답답하게 여기는 나와 달리 각이는 감이가 자신들을 볼 수 있다는 것 자체를 상당히 좋게 생각했다. 감이가 각이와 나를 볼 수 없었다면 더 힘들었을 것이라는 게 각이의 의견이었다.

맞는 말이기도 했다. 만일 감이가 우리와 대화하거나 소통할 수 없었다면 감이와 친구로서 평범한 대화를 나누는 이라든가, 친구로서 함께하는 추억 따위 쌓을 수 없었을 것이다.

감이가 다른 친구들처럼 원만한 대인관계를 지니고 잘 지냈다면 우리가 감이와 함께 할 이유가 없었을지도 모른다.

감이의 옆자리가 감이의 친구들로 차 있었다면 우린 감이의 옆자리에 앉아 있을 수조차 없었을 것이다. 물론 지금처럼 가까운 사이로 지낼 수조차 없었을지도 모른다.

감이 곁에 언제든지 자유롭게 쓸 수 있는 책상과 의자가 있으면 꽤 편하다. 물론 아무 이유 없이 이 주장을 하는 건 아니다.

1. 혼자 있는 감이의 말동무가 되어 줄 수 있다. 물론 감이의 곁에 인간 친구가 있는 것이 우리가 있는

것보다 낫겠지만 감이에게는 인간 친구가 없다.

2. 언제든지 자유롭게 쓸 수 있는 책상과 의자가 계속 한 자리에 머물러 있으면, 누군가 가져가지 않는다면 누군가 악의적으로 가져가서 어딘가 숨겨둔 책상과 의자를 찾아 쉬는 시간 내내 모든 교실을 배회하지 않아도 된다.

내 옆자리에 있는 친구, 감이만 봐도 책상과 의자를 도둑맞으면 쉬는 시간에 고생한다는 것을 알 수 있다. 못 되찾으면 학교 기물 훼손으로 벌금을 물어야 할 수도 있다.

감이가 도둑맞고 싶어서 도둑맞은 것은 아니겠지만 그런 것 따위 중요하지 않다. 앉을 의자와 책상을 잃어 힘든 시간을 보낼 감이에게 주어지는 것은 관리 부주의라는 오명뿐이다.

유령과도 같은 각이와 나는 이런 상황 속에서 감이에게 그다지 도움이 되지 못한다. 감이 대신 감이가 받는 오명과 삿대질에 대항할 수도 없다.

감이가 쉬는 시간 동안 땀 흘려 얻어낸 소중한 책상은 베게 겸 드럼(감이는 잠들지 위해 잠에서 깰 때마다 책상을 드럼처럼 두들기곤 한다.)으로 쓰이고 있다. 감이는 과학 시간마다 잠과의 지독한 전쟁을 치르곤 한다.

나도 감이가 잠과 싸우는 것을 돕고 있다. 졸 때마다 쿡쿡 찔러서 깨워주는 것이 내게 주어진 최선이다. 덕분에 인과응보로 한 번 찌를 때마다 감이한테 한 대씩 맞고 있다.

다른 사람들이 볼 때는 감이가 정신이 나가서 허공을 때리는 것처럼 보일 테지만 그 상황에서 내가 어찌할 도리는 없었다.

날 보지 못하고 듣지 못하는 자들에게 어찌 대응할 수 있겠는가? 해 봤자 소용없다는 것을 이미 알고 있다.

다만, 해 봤자 안 된다는 것이 나를 절망하게 하진 않는다. 사실은 있는 그대로 인정하면 그만이다. 굳이 부정적인 감정을 부여할 필요는 없다.

부정적인 감정을 부여하면 무엇이든 불행의 이유가 될 수밖에 없다. 상황을 대하는 태도가 행복과 불행을 정한다. 행복한 일이나 불행한 일 따위는 따로 나뉘어져 있지 않다.

행복한 태도로 긍정적인 태도로 바라보면 무엇이든지 행복할 이유가 될 수 있다. 그것을 모르기에 행복을 찾아 헤메이고 고생하는 것이다.

"배부른 자는 꿀이라도 싫어하고
주린 자에게는 쓴 것이라도 다니라"
잠언 27장 7절 말씀

진정 행복에 주려 있다면 작은 행복 하나 결코 그저 지나칠 수 없을 것이다. 다른 사람에게 보

이지 않는 존재여도,

다른 사람의 눈길을 끌지 못하는 존재여도, 존재 자체를 인정받지 못한다 해도 상관없다.

그것이 내 행복을 무너뜨릴 순 없다.

오늘도 나는 누군가의 유일한 친구로서, 하루하루를 알차고 희망차게 보내고 있다. 함께 공부하고 함께 대화하면서 서로를 다독이고 응원한다.

투명 인간이 아닌데도 불구하고 투명한 나보다 더 투명한 존재처럼 살아가는 감이.

투명한 존재인데도 불구하고 불투명한 감이보다 더 큰 관심을 받고 살아가는 무.

서로 정반대였던 그 둘은 사람들의 미움을 받는다는 공통점을 통해 하나가 되었다. 물론 감이는 그 사실을 절대로 인정하지 않을 것이다.

아무래도 상관없다. 그래도 우린 서로에게 유일한 친구니까. 나는 어딜 가든 감이와 함께 있게 되었다.

학교에서 수업을 들을 때는 각자 자리에 앉아 모범생을 꿈꾸며 수업에 집중하려 노력했다. 나와 감이 둘 중 어느 한쪽이라도 집중하지 않으면 가만두지 않았다. 1

'아니, 가만두지 않고 있다.'라는 말이 더 정확할 것 같다. 현재 진행형이니까.

감이의 시간표대로라면 이 교실에서 수학 수업 시간이 진행되고 있다.

지금 나는 학교 교실 구석 자리 빈 책상에 걸터앉아 혼자서 선생 역할과 학생 역할을 전부 다 하고 있다.

나를 담당하는 나의 선생님으로서 "참 잘했어요." 도장이나 쾅쾅 찍어줘야겠다. 사실 원래 시간표대로라면 지금은 수학 수업 시간이다.

아무래도 상관없어. 내 원래 시간표와 저들의 원래 시간표는 원래 다른 법이니까. 음, 원래 시간표가 맞는 표현인지는 잘 모르겠다.

감이가 다른 사람들의 눈총을 받으며 졸다가 깨길 반복하는 동안 나는 홀로 글쓰기 수업을 진행 중이었다.

보이지 않는 투명한 존재가 누리는 특권 같은 거다. 그렇다고 해서 수학 수업을 아예 하지 않는 건 아니다. 다만, 시간표를 멋대로 할 수 있달까?

수학 수업 시간에 생뚱맞게 글쓰기 활동을 하는 것을 문제 삼을 사람은 없다. 아니, 문제 삼을 수 있는 존재도 없다.

보여야 문제 삼든 말든 할 것 아닌가?

문제 삼을 수 있는 존재 즉, 날 볼 수 있는 존재, 감이는 고단한 학교 일정에 지쳐 꾸벅꾸벅 졸고 있다.

아니, 어쩌면 '유이는 꿈나라에 납치되었다가 현실로 돌아오길 반복 중이다.'라는 표현이 더 정확할지도 모른다.

수학 수업에 집중하기 위해 노력하는 기색이 역력하다. 한편, 수학 선생님께선 꿈나라에서 학생들을 납치해 가는 일에 한몫하고 계신다.

학생들을 깨우시는 모습조차 자신의 정체를 숨기기 위해 위장하는 모습으로 보였다.

여기서 정체라 함은, 꿈나라에서 학생들을 납치하기 위해 찾아온 정탐꾼을 의미한다.

만일 저 선생님의 강의를 SNS에 올린다면 수면제

판매율이 0으로 하락할 것이다. 강의 영상 클릭 한 번에 불면증이 바로 해소될 텐데, 뭐 하러 수면제를 사겠는가?

그렇게 된다면, 수면제라는 단어 자체를 안 쓰는 날이 오게 될지도 모른다. 수면제 대신 수면 강의라는 표현을 쓰게 될지도 모른다. 하지만 선생님의 강의에 내성을 가진 사람들이 늘어난다면 수면제의 판매율이 올라갈 것이다.

아니, 그렇다고 해서 올라가진 않을 것이다. 수업에서 졸음과 싸워 이긴 사람들은 불면증과의 싸움에서도 승리를 거듭하곤 한다.

역시 모범생들은 남다르다.
"참 잘했어요." 도장이라도 쾅쾅 찍어줘야겠다.

어디에다가 찍어주면 좋을까? 바쁘게 움직이는 손? 아니면 감길 줄 모르는 눈?

정말 쓸데없는 고민인 것 같다.

아무래도 착하고 바르고 성실한 모범생이 되긴 글렀나 보다. 나라도 수업에 집중해야겠다. 글을 쓰기 위해 바삐 움직이던 펜을 내려놓고서 자세를 고쳐 앉았다.

잠시 후 난 나의 선택이 잘못되었음을 발견했다. 자리를 고쳐 앉기 위해 감이를 향해 틀어져 있던 의자를 책상 방향으로 돌렸다. 낡고 오래된 의자에서 나는 끼익 소리는 학생들의 이목을 집중시키기에 적합했다.

덕분에 나를 보지도 못하는 학생들이 내가 있는 쪽 즉, 끼익 소리가 난 쪽을 바라보았다. 그런데도 수학 선생님께선 주위의 분위기가 어수선해진 것도 모른 채 혼자서 수업을 진행하고 계셨다.

난 투명한 존재 주제에 책상 하나를 떡 하니 차지하고 있다. 아무도 이 자리를 넘보지 않는 까닭에 불투명한 존재들에게 자리를 뺏길 일 같은 건 전혀 없었다.

자고로 이 자리는 쉬는 시간과 식사 시간에도 늘 비어 있다. 꼭 나를 위해 남겨 둔 것처럼 말이다.
곧 식사 시간이다!

이제 2분 뒤 수업을 마치는 것을 알리는 종이 칠 예정이다. 그렇다. 나도 다른 여느 보이지 않는 존재로서 살아가는 것에 대한 장점 중 하나는 학비를 내지 않아도 된다는 것이다. 단점은 내가 나 자신의 선생 노릇을 하고 있다는 것이다.

'아주 관대하고 멍청한' 이라는 수식어가 붙은 선생, 그게 바로 나다. 딴짓은 즐겁고도 쓰리다. 현자 타임을 자주 갖게 된다. 좋지 않다. 이런 강제적 자유는 화를 불러온다.

그게 바로 내가 누리는 자유의 대가다. 스스로에게 관대하고 다른 사람들에게 엄한 자들은 성장할 수 없다. 물론 자아 성찰도 할 수 없다.

모든 일들을 자신의 편에서 합리화하고 모든 이유를 남에게로 돌리게 된다. 그런 자 곁에 있는 사람들은 안 좋은 영향을 받게 된다.

하지만 그 누구보다 안 좋은 영향을 받게 되는 사람은 다른 사람이 아닌 당사자다. 스스로에게 관대한 만큼 성장의 기회를 놓치게 된다. 스스로에게 관대하고 다른 사람들에게 엄한 자들은 어찌보면, 정말 불쌍한 사람들이다.

그 사람의 주변 사람도 마찬가지다. 좋은 사람의 곁에 있으면 같이 성장하게 되는 것 같다. 열심히 공부하는 모범생들을 보면 왠지 기분이 좋다.

대리만족하게 되는 것 같다. 감이도 언젠가는 저렇게 모범생이 되겠지? 감이를 보자, 잠깐 품었던 희망이 달아나 버리고 말았다.

글쓰기도 마무리했으니 이제 슬슬 자리를 정리해야 겠다. 아니, 다음 수업 때도 이 교실을 쓸 예정이니 굳이 벌써부터 정리할 필요는 없을 것 같다.

다음 수업은 영상 수업이다. 영상 수업이 뭐냐고? 교과 과목은 아니지만 신청한다면 들을 수 있다. 개설자는 감. 개설 지도자는 무. 아무도 인정 안 해주 겠지만 아무튼 내가 개설 지도자다.

오늘은 영상 수업 시나리오를 짜는 시간을 가졌다. 지난번에 배운 시나리오 기법을 최대한 활용해서 쓰는 게 이번 수업의 목표다.

-영상 수업 시나리오-

#1 장난감 통 안
　　장난감들이 모여서 이야기 중이다.

토끼 인형: 하 오늘도 장난감 통 밖에 나갔다가
　　　　　　다시 장난감 통 안으로 던져졌어. 휴,

우린 언제쯤 당당하게 장난감 통 밖으로
나가볼 수 있을까?

강아지 인형: 나가고 싶어? 나가게 해 줄까? 나가면
어디로 갈 건데?

토끼 인형: 잘 모르겠어. 예전에는 원아가 날 잘
놀아줬던 것 같은데 요즘은 도통 오지
를 않네. 다시 원아를 볼 수 있으면 좋
을 것 같아!

강아지 인형: 아하하, 내가 도와줄까?

토끼 인형: 앗, 정말? 응! 도와주면 정말 고마
울 것 같아.

강아지 인형: 고마울 것까진 없어. (후회하게 될 테
니까.) 평소처럼 여기서 나가서 저기
저 빨간 가방 보이지? 저기로 가. 저기
안에 있으면 3시쯤 원아의 동생, 단이

가 올 거야.

"음 후회하게 될 거라는 내용은 빼자.
악역인 게 너무 티가 나.

벌써부터 악역을 밝혀버리면
영상에 반전을 줄 수가 없잖아?"

평소와는 다른 사뭇 진지한 표정으로 조언을 했다.
그러자 감이가 감 모양 지우개로 후회하게 될 테니
까라는 문장을 빡빡 지우면서 고개를 끄덕였다.

지워진 문장 옆에 있는 문장들을 지운 후 문장이 지
워져서 생긴 공백을 지워진 문장 옆에 있는 문장들
로 채워 넣었다. 지우개 자국이 조금 남았지만 꽤
양호한 편이다.

여기서 나는 개설 지도자로서 시나리오에 대한 피드
백을 주는 역할이고 감이는 시나리오를 쓰는 역할이
다. 다른 역할은 없다.

이 수업의 인원은 오직 나와 감, 둘 뿐이다. 홀로 수업을 수강하는 것이 다른 학교에선 불가능할지 몰라도 학생이 개인 과목을 개설할 수 있는 이 학교에서는 가능한 일이다.

다른 사람 입장에선 이 수업이 개인 수업일 것이다. 몇 번이고 말했다시피 나는 존재한다는 것조차 인정받지 못하고 있다.

감이는 지우개를 다시 필통에 넣고 필통을 굳게 잠근 후 쓰던 시나리오를 마저 써내려갔다.

강아지 인형: 현아가 책가방을 들고 초등학교 방과 후 수업에 갈 때 항상 원아의 방을지나쳐 가는 거 알지? 원아의 방에 다다랐을 때 원아의 방 바닥으로 뛰어내려. 너는 폭신하니까 조금 높이서 떨어져도 괜찮을 거야.

#2 원아의 방

토끼 인형: 분명 강아지 인형 말대로 왔는데 왜 원
아가 안 오지? 이상하다.

"왜 안 오는데? 혹시 원아가 불량 학생이야?
읽다 보면 알게 되려나?"

"아니, 나도 몰라."

"엥? 너가 쓰는 건데 너가 몰라?"

"너도 모르잖아."

"내가 말했잖아. 나는 같이 글 쓰는 사람이 아니고
조언하는 사람이라고."

"너무해."

"그치만 펜을 오래 잡고 있을 수가 없잖아. 자꾸 내
손을 통과해서 빠져나가는 걸 어떡해."

" "
...

"앗, 그럼 이건 어때?"

"뭐가?"

감이는 대답 대신 자신이 다시 쓴 시나리오를 보여주었다. 토끼 인형과 강아지 인형의 대화를 추가시킨 것이다.

우리가 쓰는 대본에선 인간을 쓰지 않는다. 연기할 배우가 없기 때문이다. 나와 감이 둘 다 실력이 꽝이다. 이런!

토끼 인형:　오늘은 윈아가 오는 날이 아닌데?

강아지 인형: 내 말 안 믿을 거면 도움도 구하지 마!
　　　　　　오늘 개 학교 마치고 바로 학원 안
　　　　　　가고 집 들렀다가 방과후 수업하러

간대. 갑자기 일정이 바뀌었거든.

토끼 인형:　　앗, 의심해서 미안해.

강아지 인형: 괜찮아.

　　　"오오 괜찮은데? 이야기가 아까보다
　　　더 자연스럽게 이어지는 것 같아!"

　　　　　　"과찬이야."

감이가 감꽃 피듯 활짝 웃었다. 하지만 이내 입을
가리고 억지스럽게 웃음을 참았다.

웃음이 나올 때마다 억지로 웃음을 참는 습관은 감
이의 트라우마가 묻어나는 습관이다.

웃으면 안 되던 시절의 습관을 몸이 기억하는 것이
다. 이처럼 아무리 잊으려 해도 잊힐 수 없는 아픔
이 있는가 하면 기억하고 싶어도 기억할 수 없는 것

들이 있다.

그것들은 대체적으로 아름답고 소중한 것들이다. 기억하고픈 사람의 이름, 사랑하는 누군가와의 약속.

눈에 넣어도 아프지 않을 것 같은 것들이 내 기억에서 사라진다. 애초부터 없었던 것처럼, 하얗고 멀겋게 지워져 버린다.

싫어. 잊고 싶지 않아. 지금의 난 잊힌 기억을 품고서 그 기억이 무엇인지 알아보려고 가만히 들여다보고 있다.

난 어디에서 왔을까? 왜 난 계단 난간에 앉아 있었을까? 난 뭘까? 인간? 다른 사람들의 말처럼 죽은 인간의 영혼인 걸까? 악마일까?

어느새 거미줄처럼 복잡해져 버린 생각의 실타래를 외면하고서 현실로 돌아왔다. 누군가의 꿈일지도 모르는 지금 이 순간에 초점을 맞추기로 했다.

감이의 얼굴을 빤히 쳐다보다가 한 마디 툭 던졌다.

"앗, 너 국어 숙제 했어?"

"아니?"

"그럼 숙제부터 하자."

"그럼 수업은?"

"오늘은 감이의 개인적인 사정으로 수업 도중 자습 시간을 갖도록 합니다. 보강 날짜는 이번 주 토요일로 잡겠습니다. 땅땅땅!

판사 흉내를 내며 책상을 세 번가량 두들겼다. 세 번째 두들겼을 때는 주먹 쥔 손이 책상을 통과해 버리고 말았다.

감이는 남은 수업 시간 동안 가까스로 숙제를 해냈

다. 다행히도 감이가 숙제를 마치자 기다렸단 듯이 수업 종이 울렸다.

이대로라면 숙제를 늦게 제출하는 일은 면할 수 있을 것이다. 종이 치자, 기다렸다는 듯이 자리를 박차고 일어나는 감이. 나에게 곧장 돌진한다.

주위의 시선 따위는 신경도 쓰지 않는다. 내가 투명한 건지 감이가 투명한 건지 의심이 들 정도다.

아무도 안 보고 있다고 생각하는 걸까, 아니면 자포자기해 버린 걸까? 창피함은 늘 내 몫이다. 그래, 내게 말 걸어주는 상대가 느껴야 할 창피함을 대신 느껴주고 있다.

다른 사람들에겐 네가 허공에 돌진하며 소리치는 이상한 사람 같아 보일 거라고 내가 수십 번 가량 말했지 않았던가?

아무래도 저 녀석한테 귀가 두 개 있는 이유는 한

귀로 듣고 한 귀로 흘리기 위해서인 듯하다.

"우와, 그거 뭐야? 나도 쓸래. 일기야? 뭐야? 신기
해!"

감이는 밝고 명랑한 목소리로 말도 안 되는 소리를
하면서 내 공책을 가로채 갔다.

다른 사람들이 봤을 때는 허공에 손짓하며 혼잣말을
내뱉고는 냅다 도망가는 것으로 보이겠지만 전혀 신
경쓰지 않는 듯했다.

남의 일기장을 뺏어가는 것도 모자라 읽어버리기까
지 하다니. 놀랍다. 놀라워!

"힘들면 말로 해. 글로만 쓰고 있으면 어떡해!
일기 쓰는 거야? 나도 쓸래!

여기 내 이야기 써도 되지?
이거 일기면 서로 돌아가면서 쓰자.

보고만 있는 거는 재미없어."

"교환 일기를 쓰자는 거야? 아니, 그보다 대체
언제부터 날 보고 있었던 거야?"

"이거 일기야?"

"몰라. 아니? 응. 아니! 흠, 이거 일기인가? 근데
일자별로 나눠 쓰진 않았어. 그러니까 아마 이거
그냥 공책일걸?"

"그럼, 교환 공책 하자. 이번엔 내가 쓸게."

이제 합리적인 합의가 이루어졌으니, 공책을 뺏어갔
다는 오명은 씌우지 않도록 하겠다.

아니? 이대로 내 일기장만 주고 갈 순 없다. 주는
게 있으면 받는 것도 있어야 하지 않겠는가?

"Give and take."는 인간으로서 꼭 지켜야 할 상도덕

이다. 적어도 내 개인적인 견해로는 그렇다.

"내 일기를 보여줬으니, 이제 네 일기를 봐야겠어."

길을 막아서면서 상당히 진지하고 엄숙한 표정으로 말했다. 적어도 내 기준에서는 아주 진지한 표정이었다.

"유치해, 정말! 그게 뭐가 중요하다고 그래?
뭐, 보고 싶다니깐 보여줄게!"

그렇게 내 일기장을 준 대가로 감이의 일기장을 받게 되었다.

그런데 필체가 낯설다. 감이의 필체가 아니다. 이름을 보니 감이의 어머니의 성함이 적혀 있었다.

아무래도 실수로 다른 사람의 일기장을 꺼내준 것 같다. 호기심은 이런 상황에서만 쓸데없이 발동하곤 한다. 남의 일기장 내용을 궁금해하는 이유가 대체

뭐란 말인가?

아무래도 상관없다. 이왕 받은 김에 한 번 읽어보기로 했다. 계단 난간을 미끄럼틀 삼아 타고 내려가는 길에 일기장을 펼쳐 들었다.

이런, 글자가 보이지 않는다. 이런 위험하고 무모한 짓은 절대 따라 하진 않길 바란다. 물론 나처럼 계단 난간에서 떨어져 다치는 것을 원한다면 따라 해도 상관없다.

계단 난간에서 떨어져 버렸다. 이번이 두 번째다. 내기억 중 가장 오래된 기억 속 계단 난간 그리고 지금 내가 마주하고 있는 계단 난간.

두 번 다 떨어져 버렸다. 이쯤 되니, 전생에 계단 난간과 원수였던 게 아닐까? 라는 의문이 든다.

한 번 떨어져 보았으니 이제 더 이상 안 올라갈 만도 한데, 난간만 보면 최면술이라도 당한 것처럼 계단 난간에 못 올라가 안달이다.

한심하다고 해야 할까? 멍청하다고 해야 할까? 둘 다 해야 할 것 같다. 난 분명 경고했다. 계단 난간에는 올라가지 않는 것이 좋을 것이다.

내 경고를 무시한 뒤 계단 난간을 타다가 떨어지게 된다면 떨어졌다 한들, 이 책을 탓하진 말아 주길 바란다. 아까 말했다시피 나는 분명 계단 난간을 타지 말아 달라고 했다. 부적절한 유혹 따윈 한 적 없다!

감이는 떨어진 나를 보고 일으켜 세웠다. 눈은 나를 향했고 손은 일기장을 향했다. 그래, 눈앞에 쓰러진 사람 대신에 일기장을 손으로 일으켰다. 정확히 말하자면 집어 들었다고 하는 편이 더 정확할 것이다.

"이거 내 일기장 아니잖아. 지금 모르는 척하고 그냥 읽으려고 한 거야? 너 정말…"

"야 넌 나 쓰러져 있는 거 안 보여?"

"그러는 넌 찢어진 이 일기장 안 보여?"

"일기장이 중요해? 내가 중요해?"

"그러는 넌 내가 중요해? 이 일기장이 중요해?
일기장 잘못 받았으면 말하지 그랬어.
읽고 싶었으면 허락 맡고 읽어도 되잖아!"

잠시 어색한 침묵이 흘렀다. 침묵이 흐르는 계단 위 감이는 나를 일으키기 위해 허우적대고 있었다. 감이의 부르튼 손은 내 손을 통과해 지나갈 뿐이었다.

각이가 와서 엎어져 있는 나를 일으켜 세워주었다. 각이는 나와 같은 존재 중 하나다. 굉장히 소심하고 말수도 적다. 처음에는 맨날 감이 가방에 숨어 있어서 존재하는지도 몰랐다.

하지만 지내다 보니, 자연스레 알게 되었다. 그동안

이 책에서 각이의 존재를 언급하지 않았던 이유는

1. 화나서.

말 걸 때마다 아무 반응도 안 하는 각이가 괘씸했다. 각이와 첫 대화는 그날 일기장 타고 계단 난간 타다 가 떨어진 뒤에 한 대화다.

내 말을 매번 껌 씹듯이 잘근잘근 씹어댔다. 이쯤 되면 단물 빠질 때도 되지 않았나라는 의문을 자초 하는 친구다. 아니, 내 말을 무시하고 씹는 친구는 내 친구가 아니다. 음 아니다. 그래도 친구다. 아무 래도 상관없다.

내가 친구로 생각하건 안 하건 간에 나를 친구로 생 각하는 이는 아무도 없으니까. 적어도 유령들 사이 에선 그렇다. 감이에게 인간 친구가 없듯이 내겐 유 령 친구가 없다.

다른 사람들에게 보이지 않고 감각되지 않는 나와

같은 존재들. 사람들은 우리를 유령이라고 부른다. 감이와 같은 존재들을 통틀어 인간이라 부르듯 나와 같은 존재들을 통틀어 유령이라 부른다.

유령과 인간은 서로를 이질적인 존재로 여겨왔다. 일방적인 관계이기도 했다. 유령들은 인간들을 보고 느끼지만, 인간 중 대다수는 유령들을 보거나 느끼지 못한다. 오히려 그게 더 낫다.

만일 유령들과 인간들이 통상적으로 서로를 느끼고 서로 함께 살아왔다면 난 정말 혼자가 되었을 것이다. 감이를 내 친구로 만든 것은 감이가 나를 보는 몇 안 되는 인간 중 하나였기 때문이다.

그런데 모두가 나를 보고 느끼게 된다면 나는 더 이상 인간들을 나와 다른 존재로 생각할 수 없게 될 것이다.

다른 유령들 대하듯 어색하게 지낼 것이다. 그동안 그랬으니까. 희소성 문제다. 유치한 문제다. 만일 감이와 쌓아온 추억이 없었다면 인간과 유령 사이의 경계가 흐려졌을 때 감이와의 친분도 흐려졌을 것이다.

하지만 지금의 나는 그렇지 않다. 감이가 아닌 다른 사람들과도 친분을 유지하면서 살아간다면 어떨까? 서로가 희귀한 존재가 아닌 평범한 존재로서 친해진다면? 생각해보니, 난 그다지 희귀하지 않다.

그저 인간들의 처지에서 상당히 이질적인 존재일 뿐이다. 아무래도 상관없다. 지금 나는 각이를 언급하지 않은 이유 중 첫 번째 이유에 지나친 시간을 쓰고 있다.

2. 언급할 필요성을 못 느껴서

언급할 필요성을 못 느낀 데에는 이유가 없다. 굳이 언급하지 않아도 이야기가 잘 써졌다. 다른 이들도 마찬가지다.

나와 비슷한 존재가 없어서 못 쓰는 게 아니라 안 써도 문제 될 게 없어서 안 쓰는 거다. 그들에게 나에 대한 존재감이 없듯이 내게도 그들의 존재감 따윈 없다.

감이가 갑자기 자신의 일기장을 가져오겠답시고 냅다 위층으로 뛰어 올라간다. 이런, 이러다간 지각이다. 특히 저렇게 느리게 뛰었다가는 점심 식사가 뭔지 구경조차 하지 못하게 될 것이다.

아니, 푹 쪄서 요리한 달팽이와 함께 점심 식사로 제공될지도 모른다. 달팽이로 오해해도 이상하지 않을 정도로 느린 저 친구는 어디 내놓아도 자랑스러울 달팽이, 아니 감이다.

바삐 뛰어 올라가는 감이 옆을 천천히 걸어 올라갔다. 뛰어가는 감이와 걸어가는 나 사이에 간격이 벌어질 일은 없었다. 뛰는 속도와 걷는 속도가 같았기 때문이다.

달리기 시합할 때 경쟁 상대가 상당히 좋아할 만한 속도다. 걸어가도 이길 수 있는 상대방, 승부욕 넘치는 학생들에게는 재미없는 상대일지 몰라도 내가 알기론 사람들은 달리기 시합에서 이기길 좋아한다.

상대 팀 입장에선 자신을 이기게 해주는 감이를 좋아할 수밖에 없을 것이다. 물론 같은 팀 학생들은 격노하겠지만 말이다. 지금은 나를 같은 팀 학생들의 입장이라고 봐도 무관하다.

감이는 내 경쟁 상대가 되지 못하니까. 이건 달리기 시합이다. 시간과 감이의 달리기 시합. 나는 참여할 수 없어 관전하는 관람객.

통상적으로 시합에서는 주로 승자들이 상을 받는다. 하지만 이번은 예외다. 상이라 하기엔 뭣하지만, 이번 달리기 시합에서는 패배자들이 상을 받는다. 상은 꽤 크다.

숫자로 표현하면 3. 3점을 받는다. 시간과의 달리기

시합에서 져서 시간을 흘려보내면 받게 되는 것. 제 시간에 못 들어온, 제 시간을 놓친 자들은 으레 지각생들이라 불린다.

시간과의 달리기 시합에서 진 자들은 진 것에 대한 상으로 벌점 3점을 받는다. 벌점을 왜 상이라고 하냐고? 표현은 자유다. 지각생에게 주어진 특권이다. 벌점을 통해 자기 잘못을 뉘우칠 수 있도록 지각생들에게 주어지는 게 벌점이다.

받아선 안 되는 상이다. 도대체 여기서 상과 벌을 나누는 기준이란 뭘까? 뉘우치라고 주는 상을 계속 받는다는 것은 자기 잘못을 뉘우치지 않았음을 의미한다.

그 의미가 무슨 뜻인지는 나보다 감이 더 잘 알 것이다. 벌점의 영향 아래 있는 사람은 내가 아니라 감이다.

　　"야, 그러다가 지각하겠어.

일기장은 점심 식사 후에 보여줘도 되잖아!
지금 교실 갔다가 오면 십중팔구로
점심 식사 시간에 늦고 말 거야!"

식사 시간에 지각하면 벌점을 받는다. 그게 바로 이 학교의 규율이다. 한 번 지각할 때마다 벌점을 3점이나 받는다는 게 조금 과한 감은 있다.

하지만 감이네 집의 규율보다는 훨씬 낫다.

샤워할 때만 세수할 수 있게 하고 손 씻기 자체를 절대적으로 금지하는 곳은 아마 감이네 집밖에 없을 것이다.

심지어 예전에는 화장실을 사용할 때 문을 닫는 것조차 절대적으로 금지되었었다.

"뭐, 상관없어. 속이 안 좋아서 선생님께 점심 안 먹는다고 말씀드렸거든."

"앗 또 점심 안 먹는 거야?
너 설마 오늘 아침 등굣길에 내장을
길에 내다 버리고 온 게냐?

아님, 너 다이어트 해? 네가 뺄 살이 어딨다고 그래.
네가 뺄 수 있는 살 같은 건 없어.

있었다면 이미 빠졌겠지.
안 먹고 빼는 살은 의미가 없단 거 몰라?"

사실 그런 건 나도 모른다. 굶어서 빼는 살이 무의
미하단 말은 방금 지어낸 거다. 하지만 굶어서 살을
빼는 것이 건강에 좋다고 할 순 없다.

난 적당히 먹고 먹은 양 만큼 운동하는 게 유익하다
고 생각하는 편이다. 하지만 감이는 선생님께 이미
말씀드려서 어쩔 수 없다고만 하고 교실로 돌아갔다.

"야, 그럼 아까 급식실은 왜 같이 간 거야?"

아까 전까지만해도 점심 식사할 것처럼 나와 함께 급식실로 내려가고 있지 않았던가?

"너는 안 굶으니까."

"뭐?"

"너는 점심 식사 할 거 잖아."

나를 보지 못하는 존재들은 나를 유령 취급한다. 밥 먹는 유령이라니, 상상해 본 적 있는가?

그렇다. 나는 다른 사람들의 눈에만 보이지 않을 분, 물질세계에 접촉하지 못해서 밥을 못 먹는다거나 그러진 않는다. 적어도 건강할 때는 그렇다.

내가 물질세계에 접촉할 수 있다는 사실은 나를 인정하지 않는 자들이 인정하지 못하는 사실들 중 하나다.

그들은 내가 영적 존재라서 사람의 눈에 보이지 않는 것이라고, 내가 감이를 홀렸기에 감이가 나를 보는 것이라고 근거 없는 주장을 해 왔다.

내가 무슨 존재인지는 몰라도 하나는 확실히 알 수 있었다. 물질세계니, 뭐니 하는 것들에 접촉하는 데 아무 지장이 없다는 것.

하지만 그들이 이야기하는 여느 유령들처럼 물질을 통과할 수는 있다. 물질을 통과하는 능력을 갖추고 있다. 내가 원하건 원하지 않건 간에 상관없이 말이다.

물질을 통과하고 말고는 자유지만 몸 상태가 허약해지면 물질세계와 접촉하는 것에 어려움을 느낀다.

숟가락을 잡아도 손이 숟가락을 통과해 버리고 문을 열려고 해도 문손잡이가 잡히지 않는다. 뭐, 상관없다. 통과해 버리면 그만이니까.

감이의 점심밥을 사러 학교 매점에 왔다. 하나 정도
는 가져가도 되겠지? 아니, 안 된다. 지난번에 다른
영혼에게 받은 용돈을 내고 견과류 한 봉지를 사 왔
다.

물론 아까 언급했다시피 원래 점심밥을 사서 갈 예
정이었다. 하지만 밥 종류 음식들은 완판이다. 벌써
다 팔려버렸다.

매점의 인기에 감탄을 금치 않을 수 없었다. 사람들
이 많을 때 매점에 올 순 없다. 십중팔구로 내 이야
기가 뉴스에 나올 것이다.

"매점에서 벌어진 폴터가이스트 사건"이라는 제목으
로 여러 언론사에서 보도될 것이다.

사람들이 없는 시간대는 귀마개로 전해 들을 수 있
다. 전들로 이루어진 귀마개는 전에도 언급했다시피
통신기기로 쓰인다.

전들이 거리와 상관없이 모든 영혼과의 소통을 돕는다. 전들은 순수하고 깨끗한 영혼들에 주어진 특권이자,

선물이다. 전들은 내게 도구라기보다 애완 혼에 가깝다. 아니, 애완 혼이 맞다.

날짐승들이 죽으면 우리가 전이라고 부르는 존재들이 된다. 그리고 각지에서 우리와 같은 순수한 영혼들의 통역사로 활약한다. 귀엽고 소중하다.

나를 못 보시는 사장님 대신에 사장님 곁에서 허락없이 아르바이트 중인 영혼, 각이에게서 견과류 한 봉짓값을 냈다.

덤으로 아이스크림 두 개를 받았다.

역시 오늘도 각이는 언제나처럼 박하초콜릿 아이스크림과 고수 맛 아이스크림을 골라 주었다.

박하초콜릿 아이스크림은 감이의 최애 아이스크림이고, 고수맛 아이스크림은 내 최애 아이스크림이다.

고수 맛 아이스크림은 바닐라 아이스크림에 끓인 고수를 잔뜩 쑤셔 박은 아이스크림이다. 후추를 뿌려 먹으면 더 맛있다.

박하초콜릿 아이스크림은 말 그대로 박하맛 아이스크림에 초콜릿을 토핑으로 얹은 것이다. 박하맛 아이스크림 위에 올려진 초콜릿의 양은 아주 적다.

그래서 박하 마니아가 아닌 이상, 박하초콜릿 아이스크림을 찾는 사람은 드물다. 고수 맛 아이스크림을 찾는 사람도 굉장히 드물다.

그래서 이 두 아이스크림은 매점에서 사라질 위기를 여러 번 거쳤다. 하지만 매점 사장님께선 두 아이스크림을 그만 파는 것에 대해 강하게 반대하셨다.

박하초콜릿 아이스크림과 고수 맛 아이스크림은 흔

하지 않아서 구하기 힘든 데다가 가격이 너무 싸서 팔아도 이윤이 별로 안 남는다.

그럼에도 불구하고 매점 사장님께서는 계속 박하초 콜릿 아이스크림과 고수맛 아이스크림을 팔겠다고 자신의 입장을 밝히셨다.

당시 사장님께서 하신 말씀은 방송실 영상부 직업별 인터뷰 녹취록 속에 생생하게 담겨 있다. 그 녹취록은 철부지 학생의 사소한 질문에서 시작된다.

기억 속에 희미하게 남아 있는 인터뷰 당일의 추억을 다시 되살려 본다. 당시 감이는 카메라를 들고 서 있는 학생을 찍으면서 촬영장 브이로그를 찍는 일에 몰두하고 있었다.

그리고 난 바쁜 사람들을 가만히 서서 구경하고 있는 구경꾼 1이었다. 구경꾼 2는 없다.

나 빼고 모두가 바빴기 때문에 구경꾼은 한 명밖에

없었다. 제작진 모두의 기대와 환영 속에서 인터뷰가 시작되었다.

질문자로 보이는 학생이 수줍음을 감추지 못하고 어색한 웃음을 지으며 첫 질문을 던졌다.

"사람들이 잘 찾지 않는 아이스크림을 출시
당일부터 지금까지 3년째 판매중이라고 들었습니다."

"무슨 아이스크림 말씀하시는 거죠?"

"안 팔리는 아이스크림이 고수 맛 아이스크림과
박하초콜릿 아이스크림 말고 어디 또 있겠습니까?"

질문자와 인터뷰 대상 간에 잠시 침묵이 흘렀다.
질문자는 자신이 농담으로 한 질문이 자신이 들어도
불쾌한 질문이라는 걸 뒤늦게 깨달았다.

침묵이 흐르는 동안 질문자는 카메라를 향해 어색한
웃음을 흘린 후 아까 전보다 누그러진

목소리로 질문을 이어 나갔다.

"혹시 잘 팔리지도 않고 구하기도 힘든
아이스크림을 계속 파는 것에 대한
이유가 따로 있을까요?"

"예, 인기 없는 아이스크림을 꾸준히 판매하고
수량이 떨어질 때마다 힘들게 재입고해서
판매하는 데에는 이유가 있습니다.

누군진 몰라도 늘 남몰래 계산대에
돈을 내고 아이스크림 두 개를 사 가는
소심한 학생들이 있더라고요,

팔아도 많은 이익을 얻기 힘들뿐더러
구하기도 힘든 아이스크림이란 걸 알지만

그 학생들을 위해서라도 계속
이 아이스크림을 발주해서 팔 예정입니다.

판매업은 이윤을 남기기 위해 있는 것이 아닙니다.
판매업은 오직 구매자들을 위해 있는 것입니다."

내가 들은 인터뷰 내용은 여기까지다. 이제 촬영장도 찍으러 가야 한다고 하면서 감이가 쪼르르 뛰어갔다. 꼭 이럴 때만 빠르다.

매점에서 견과류 봉지를 산 것에 대한 덤으로 받은 아이스크림 두 개의 값은 감이가 냈다. 감이는 정식 직원이 아니기에 내게 덤을 줄 자격이 없다.

그래서 감이가 내게 아이스크림 두 개를 사줬다고 하는 게 더 정확할 것이다. 덤이라고 하기엔 너무 애매모호하다.

나는 감이에게서 아이스크림 두 개를 받아 들면서, 장난스러운 말투로 투덜거렸다.

"한겨울에 아이스크림이라니 너무 하시네."

"그럼 반납할래? 아이스크림 대신 무라도 줄까?"

"아유, 말이 헛나왔네요. 너무 감사해요! 무는 이미 있어서 안 받아도 될 것 같습니다. 제가 무거든요."

앞서 언급했다시피 내 이름은 무다. 이름으로 장난을 걸어오는 이들이 생각보다 꽤 많은 편이다.

정말 유치하기 짝이 없다. 아니, 솔직히 내가 더 유치하다. 정말 그렇다.

견과류 한 봉지와 아이스크림 두 개를 봉지에 담아서 양손에 들고 감이에게 가는 길에 등 뒤로 사장님의 당황한 목소리가 들려왔다. 고개를 돌려 매점 쪽을 바라보았다.

"매번 누가 물건 값을 말도 없이 카운터에 두고 가는 지 참, 오늘도 견과류 한 봉지랑 아이스크림 두 개를 사 갔네? 매번 누가 그러는 거야?

수줍음도 어지간히 많이 타나 보다. 쯧쯧, 누군지
몰라도 사회생활 할 때 고생 꽤 하겠는데?"

사장님께서 이렇게 오해해주셔서 나로서는 정말 기
쁠 따름이었다. 예전에 사장님께 감사하는 마음을
담아 팁을 드린 적이 있었다.

사장님께서는 쪽지에 "원가보다 비싸게 받지 않아요,
마음만 감사히 받을게요, 되가져가 주세요."라고 쓰
신 후 팁으로 낸 지폐 위에 올리셨다.

물건을 팔 때마다 뭐가 팔렸는지 꼼꼼히 기록하시기
에 팔린 물건으로 기록되지 않은 물건이 사라진 상
태이면 금방 눈치를 채신다.

이 매점에서 도난 사건이 생긴 적은 거의 없다.
공짜로 얻어먹는 학생은 있어도 훔쳐먹는 학생은 없
다. 학생들은 훔칠 필요성 자체를 못 느꼈다.

만일 '판매 완료로 기록되지 않은' 물건이 사라진다

해도 그건 대부분 우리의 소행이다. 물건값은 늘 계산대 위에 낸다. 제값 안 내고 가져간 적 없다.

우리가 돈을 계산대 위에 내면 어떤 학생들은 우리가 낸 돈들을 카메라로 찰칵 찍어간다.

그리고 소심한 학생들의 매점 사용법, 누가 또 이런 짓 했냐, 딱 대. 걸리면 죽는다. 야유 그냥 평범하게 사 먹을 순 없나? 등의 별별 제목을 달아 자신이 쓰는 SNS에 올린다.

우리의 소행은 소심한 어느 학생의 소행으로 널리 알려져 있다. 하지만 사람들이 그리 신경쓰지 않는다. 값을 치렀으면 그만이다.

 매점으로부터 시선을 거두고 가던 길을 마저 가려던 참이었다. 길을 가다가 바닥에 떨어져 있는 신문을 발견했다. 신문은 매우 낡아 있었다.

일자를 보니 엄청 예전에 발행된 신문인 것 같다.

호기심이 생겨서 신문을 주워서 아이스크림 두 개가 들어있는 봉지에 접어 넣었다.

그리고 한결 가벼워진 걸음으로 계단을 뛰어 올라갔다. 어떤 내용이 적혀있을까? 정말 기대된다.

양호실 침대에서 잠이 든 감이의 옆에 아이스크림 한 개와 견과류 한 봉지를 올려놓은 후 신문을 읽기 시작했다.

신문의 제목은 "택시 납치 사건"이었다. 간단명료한 제목이라고 생각하면서 속기사로 눈길을 옮겼다.

속기사에는 사건의 피해자와 가해자의 이야기가 적혀 있었다. 이번 사건의 가해자는 택시기사였다.

피해자는 정체불명에 행방불명이다. 가해자의 증언으로는 자신만이 아는 장소에서 피해자를 풀어주었다고 한다.

범행 여부는 자백하면서도 피해자를 어디 풀어주었는지는 숨기고 있는 가해자. 참 별일이 다 있네, 하고 신문을 덮으려던 참이었다.

가해자가 수감된 교도소 이름이 왠지 낯설지가 않다. 아, 기억났다. 저 교도소가 감이의 보호자께서 옛날에 근무하시는 곳이라고 들었다.

나는 신문에 흥미를 잃고 다 읽지도 않았는데도 책갈피를 꽂지 않은 채 신문을 덮고 양호실 침대에 누워 있는 감이를 내려다봤다.

감이는 또 빈혈증세로 양호실에 누워 있다.

오늘은 그래도 덜 아파 보였는데 아니었나 보다. 그냥 나 혼자 기분 좋은 하루를 보내고 있었나 보다. 왠지 모르게 쓸쓸해졌다.

감이의 행방은 내 예상을 벗어난 적이 없다. 항상 예측가능하다. 차라리 예상을 벗어났으면 좋겠다고 생각했던 적이 많다.

'알고 보니, 양호실이 아니라 운동장에 있었고 친구들과 사이좋게 뛰놀고 있었다.'라든가.

'친구들과 잘 지내게 되었다. 그동안의 일은 아무도 신경쓰지 않는다.'라든가.

그런 예상 밖의 일들에 대해 생각해 보았다.

예상안의 일들은 그동안 일어난 일들과 지금 일어나고 있는 일들을 합산해서 정해진다.

예상 밖의 일들은 지금 상황과 과거와 상관없이 꿈과 이상 그리고 목표에 따라 정해진다.

이상만으로는 살아갈 수 없다. 현실에서 이상을 실현하면 이상은 허황한 꿈의 위치에서 벗어나게 된다.

이상이 현실이 되는 것이다. 허황하다고 무시를 당

하던 이상이 존경의 위치에 올라선다.

"내가 꿈을 이루면 나는 누군가의 꿈이 된다."

— —

눈을 쉬이 뜨지 못하던 감이는 결국 병원으로 보내
졌다. 언제나 그래왔듯 감이와 함께 병원 대기실에
서 진료를 기다리고 있었다. 오늘이 아무래도 고통
의 날인가 보다.

대기실의 좌석이 하나도 빠짐없이 환자들로 가득 차
있다. 앉아 있는 사람, 누워 있는 사람….

혼자서 짐가방 세 개를 들고 와서 좌석 네 개를 제
것인 양 차지한 사람, 벽에 기댄 채 스마트 폰을 두
들기면서 안과 진료 검사 결과를 기다리는 사람….

자신의 감성에 젖어 이어폰도 안 낀 채 음악을 들으
면서 자신만의 리듬을 타는 사람, 간호사와 실랑이
를 벌이는 사람 등. 각양각색의 사람들이 치료라는

한 가지 목적을 위해 병원에 왔다.

감이와 나는 늦게 와서 좌석에 앉지도 못하고 벽에 기대지도 못한 채 서 있었다. 벽은 앉을 자리 없는 사람들로 꽉 차 있었다.

감이는 내게 기대어 꾸벅꾸벅 졸고 있다. 사람들이 내 어깨에 기대어 잠든 감이를 신기하다는 듯이 곁눈질했다. 신기할 만도 하다.

옆에 뭔가 있는 것마냥 허공에 기대어 있는 것으로 보였을 테니 말이다. 감이가 마냥 기대어 있기만 했었던 건 아니다. 사실 내가 꼭 붙들고 있었다.

넘어지지 않게, 병원의 차디 찬 대리석 바닥으로 떨어지지 않게. 어느덧 사람들의 스마트폰 렌즈 하나 둘, 감이를 향하기 시작한다.

과학적으로 설명 불가한 이상한 일들을 찍어 자랑삼아 sns에 올리는 사람들이다. 감이의 허공 취침은

충분히 그들의 관심을 끌 만했다. 그들이 SNS에 쓸 해시태그는 보나 마나 뻔하다.

#서서_잠들다   #허공을_벽_삼아_잠들다   #서서_자는 _법   #중력을_이기는_사람   #대각선으로_서서_자는_ 사람_[1]드루와 #지금_여기가_어딘지_궁금한_사람_너 #허공에_기대_잠들기_챌린지

([1]드루와: 들어와라는 말을 흐리게 발음하여 기교를 부린 것을 문자로 표기한 것, 신조어 중 하나다. 이 해석이 저자의 개인적인 해석이기에 다소 주관적일 수 있다는 것을 참고하길 바란다.)

초상권은 안중에도 없다. 대각선으로 허공에 기대어 있는 게 신기할 수는 있다. 그게 초상권 침해를 합리화할 이유가 되어선 안 된다. 초상권은 인간이 인간으로서 지켜야 할 상도덕이란 말이다.

[1]드루와: '들어와'라는 표현과 같은 의미를 지님.

오작동을 일으킬 때가 왔다. 하필 장소가 병원이다. 자칫 잘못해서 의료기기를 오작동시켜선 안 된다. 감이가 위험에 빠질지도 모른다.

감이를 진찰하고 치료할 수 있는 의료기기가 있는 병원을 찾아 또 다시 먼 길을 떠나야 했을 것이다. 환자들의 건강과 감이의 건강을 위해 내 능력을 아주 조심스럽게, 신중하게 조금만 사용하기로 했다.

병원 내에서 감이를 도촬하지 못하도록 감이 주위에 있는 전자기기들을 전반적으로 방어해 냈다.

사람들의 손에 들린 스마트폰에서 실행되고 있던 카메라 앱들이 오작동을 일으키면서 스마트폰 화면에서 조용히 자취를 감추었다.

물론 카메라 앱은 기본 앱이라서 삭제할 수 없다. 하지만 오류가 나게는 할 수 있다. 이유는 몰라도 나의 존재는 주변 전자기기들과 전파에 영향을 주었다. 그리고 영향을 주는 정도는 내가 알아서 조절할 수 있었다.

광란도 마찬가지였다. 사람들은 나를 보면 광란에 빠진다. 하지만 결계에 힘을 실어서 그걸 사전에 방지할 수 있다. 결계를 통해 날 숨길 수 있다.

감이는 예외다. 감이는 나를 보고 느낀다. 하지만 결계가 너무 느슨해지면 감이도 다른 사람들처럼 나를 볼 때 광란에 사로잡히게 된다.

광란 속에서 빠져나오는 법이 있다. 2초 안에 눈을 감는 거다. 2초를 넘긴다면 그때부터 출구 없는 광란에 시달리게 된다.

숨기고 싶던 자신의 추악한 모습, 자신이 미워한 다른 사람의 모습 등이 자신에게서 표출된다. 예를 들자면, 살인마를 혐오하는 이들은 광란에 빠졌을 때 살인마가 된다.

마음 같아선 감이를 찍으려 하는 사람들을 싹 다 광

란으로 몰아넣고 싶지만, 굳이 소란을 피우고 싶진 않았기에 조용히 있기로 했다.

사람들은 허공에 기대 잠든 감이와 감이를 찍으려 할 때마다 오작동을 일으키는 자신의 스마트폰을 바라보며 경악을 금치 못했다.

다른 사람이 자신과 다르다는 것이 다른 사람을 찍을 이유가 된다는 것. 다르다는 것이 차별의 이유가 되는 것.

도촬한 것에 대한 책임은 피하면서 보호받을 권리를 보장받고 싶어하는 그들에게서 내 모습이 보였다.

스스로가 누군지 알고 싶어하면서 알아보려고 하지는 않는 나와 자신의 권리를 보장받으려 하면서 다른 사람의 권리를 침해하는 그들.

우리 모두 책임을 회피하고 있다. 그러므로 우리는 모두 하나다. 각자 각자의 결점을 지니고서 함께 배우고 성장하고 '책임'에 대해 차츰 배워나가고 회피 대신 도전을 할 용기를 쌓아나가는 우리들은 모두 '지구'라는 한배를 탄 동지들이다.

서로가 같지 않다고 해도 다르다는 것이 차별의 이유가 되어서는 안 된다. 사람들에게 그것을 가르쳐 주고 싶었다. 스마트폰은 다른 사람의 권리를 침해하라고 똑똑하게 만들어진 게 아니라고.

아무리 똑똑하고 성능이 좋아도 안 좋은 일에 쓰인다면 그것은 안 좋은 것이다. 그 사실은 과거에도 지금도 미래에도 바뀌지 않을 것이다.

사람들은 스마트폰을 쓰길 포기하고 가방 또는 주머니에 넣거나 병원 건물 1층에 있는 작은 휴대전화 대리점으로 향했다. 하지만 금방 다시 돌아왔다.

감이에게 카메라 셔터를 들이밀 때만 오작동이 일어난다는 것을 발견한 것이다.

휴대전화 오작동을 일으키는 능력은 후천적으로 배워서 가지고 있는 게 아니다.

기억이 사라진 그날이었다.

어째서인지 그날부터 전자기기들을 쥐락펴락할 수 있게 되었다. 손 하나 깜짝하지 않고도 말 한마디로 그게 가능했다. 이유는 나도 궁금하다. 그 사실을 발견한 것은 꽤 예전 일이다.

감이의 곁에는 '각'라는 소심한 녀석이 늘 꼭 붙어 있었다. 내가 계단 난간에서 감이를 마주하기 전부터 말이다. 이유는 나도, 각이도 모른다.

각이도 감이가 계단 난간에서 떨어진 나를 주워 온 당시부터 아무것도 기억하지 못하고 있다고 한다.

학교 매점에서 내게 고수 맛 아이스크림을 사 주고 감이 몫으로 박하초콜릿 아이스크림을 사 준 이 말하는 것 맞다.

각이는 정말 아무 말도 없이 조용히 지냈다. 그래서 인지 잘 언급하지 않게 되었다. 핑계다. 관심이 없어서 언급하지 않은 것 같기도 하다. 여기선 감이가 내 정체만을 연구한 것처럼 표현한 듯하다.

정정하겠다. 그동안 감이는 나와 각이를 위해서 연구를 진행해 왔다. 숨은 그림 찾듯이 사실로 증명된 기록들 사이에서 우리의 이야기를 하나, 하나 찾아내었다. 연구는 다행히도 순조롭게 진행되었지만, 대신 감이의 건강이 나빠지기 시작했다.

외부로부터 받는 정신적인 압박과 내부로부터 받는 정신적인 압박 그리고 나와 각이를 보면서 느끼는 책임감. '정체를 밝혀야 하는데…', 그것들이 이루어낸 결과가 이렇다. 감이가 아프다.
그것도 아주 많이!

감이가 조금이라도 각이와 닮았다면 이렇게 병원에 자주 오진 않았을 것이다. 각이는 병과는 거리가 멀었다. 잔병치레하는 것도 본 적이 없다. 그도 그럴 것이 각이는 때와 장소를 가리지 않고 운동을 한다.

지금 각이는 아까부터 진료실 앞에서 물구나무서기를 한 채 자고 있다. 정말이지, 나로선 도무지 못 따라 할 듯하다. 이런 재수 없어. 진정하자.

내가 재수 없다고 작게 중얼거리자, 옆에서 감이가 잠결에 눈도 채 뜨지 않은 상태에서 작게 대꾸했다.

　　　"정말 없었으면 좋겠다. 재수⋯."

이해를 돕기 위해 뭐 하나 알려주자면, 감이는 수험생이다. 재수라는 말만 들어도 몸서리친다. 감이의 목표는 수능 최저 점수라도 맞추는 것이다. 재수는 수능을 다시 치는 것이다. 수능을 치기 위해 공부하는 힘든 과정을 또 겪어야 한단 뜻이기도 하다.

계단 난간에서 내 기억상 최초로 눈을 뜬 그날, 난 왜 계단 난간에 앉아 있었을까? 난 뭘까? 만약 내가 이미 죽은 존재라면 나의 죽음이 뉴스나 언론사에서 방송되었을까? 아니면 조용히 평범한 죽음을 맞이했을까?

조용한 죽음의 기준이 무엇인지 궁금해졌다. 조용한 죽음이 있으면 시끄러운 죽음도 있는 걸까?

마침 간호사께서 환자와의 실랑이를 마치신 후 감이와 내가 있는 진료 대기실로 종종걸음으로 뛰어오셨다.

간호사께선 땀으로 흥건하게 젖은 손으로 대기실 벽면에 붙은 TV 리모컨을 집어 들고 버튼을 꾹꾹 누르셨다. 그러자, 아나운서가 불렀냐는 듯이 TV에 모습을 드러냈다.

얼핏 보니, 간호사분과 아나운서분의 외양이 서로 많이 닮았기는 하다. 감이처럼 안면인식 장애인이면 두 사람을 구분하는 게 어려워 보였다.

TV 속 아나운서는 전형적이고 익숙한 마무리 멘트로 뉴스를 마무리하고 있었다. 뉴스쇼 이후에는 잠시 광고가 나왔다.

공기청정기를 쓰는 법을 아직도 모르고 계시군요! 공기청정기에 이것만 넣으면 미세먼지 걱정은 끝입니다. 이런 흔치 않은 기회 절대 놓치지 말아요~ 광고 모델의 발랄한 웃음소리를 뒤로하고 광고가 끝을 맺었다.

어째선지 낯설지가 않다. 처음보는 광고가 너무 낯익어서 소름이 돋았다. 이유를 알 수 없어. 부들부들 떨고 있었다. 주먹에 힘을 잔뜩 준 채로 떨었다. 귀가 뜨거워지는 게 느껴졌다.

옆을 보니 감이의 눈에서 눈물이 흘러나오고 있었다. 감이의 붉은 목도리가 눈물에 하염없이 젖어갔다. 감이의 쌕쌕거리는 숨소리가 감이가 자고 있음을 증명했다.

인간은 주로 잘 때만 복식호흡을 한다고 어디선가 들었다. 각이는 어느새 내 옆으로 와서 감이의 뺨에 맺힌 눈물을 닦아주었다. 그런데 나는 감이를 붙들고 있는데도 아무것도 할 수 없었다.

정말 아무것도 할 수 없었다. 공기청정기 관련 광고 이후 다른 광고들이 TV에서 방영되고 있었다. 그런데 더는 TV를 볼 수 없었다. TV가 달린 천장을 올려다볼 수도 없었다.

갑자기 과한 스트레스를 받았기 때문일까? 깜박 잠이 들고 말았다.

✝

타임캡슐

제8편

취침 (就寢)

암호명. 무 武

꿈 속에서 익숙한 누군가의 목소리가 들려왔다.

"기운이 안 좋은 물건입니다. 내다 버리세요."

"얘 그게 무슨 말이니? 무슨 이상한 소릴…."

"버려야 합니다. 이것이 가정의 불화를 가져옵니다. 이곳에 사는 모두가 한 사람을 제외하고 사망을 맞이할 것입니다."

다섯 살짜리 아이의 농담이라기엔 확신에 찬 말투였다. 초점을 잃은 아이의 표정은 초점을 잃은 것도 같았다. 사람들은 아이에게 의심에 찬 반문을 하길 그만뒀다. 아니, 포기했다.

물리적인 힘으로 막아버리기로 했다. 대화를 포기해버렸다. 아이의 말에 신빙성이 없다고 판단한 그들은 호기심에 찬 눈길을 거두어들이고 비난으로 가득 찬 눈총을 아이에게 보내왔다.

무슨 소리인지 여러 번 다그쳐 묻던 그녀도 아이의 손을 놓아버렸다. 아이는 어둡고 캄캄한 방에서 반성의 시간을 가졌다.

그들에겐 그들의 행위가 고집불통인 아이를 향한 사랑의 매의 일환이었다. 그들에게 그 방은 어둠의 방이라고 불렸다. 아이들이 말을 안 들을 때면 어둠의 방에 보내겠다고 경고하기도 했다.

일명 어둠의 방에 감금된 아이는 두어 시간 뒤 질식으로 쓰러진 채 발견되었다. 공기가 안 통하는 데에 가둔 것도 아닌데도 불구하고 아이가 질식으로 쓰러진 것이다.

아이는 병원에서 의식을 되찾았다. 질식해 있는 동안 폐호흡 자체를 못 했지만, 의식을 되찾은 이후에는 폐호흡을 할 수 있게 되었다. 하지만 폐렴에 걸리고 말았다.

아이의 말을 믿지 않고 아이를 감금한 사람들은 아이의 말대로 되었다. 그날, 자신의 아이도 아닌 아이를 돌보던 그들은 하루 만에 모두 죽어버렸다. 약속이라도 한 것처럼, 하루 만에 모두 죽어버렸다.

그들이 모두 죽어버린 그날은 그들이 아이를 주운 날이었다. 길 가다 우연히 발견한 버려진 아이를 주워 온 그날 그들을 포함한 일가족이 모두 죽음을 맞이했다. 그렇게 그 아이는 죽음을 불러온 아이라 불리기 시작했다.

물론 그들은 아이와 혈연관계가 있는 이들이 아니었다. 하지만 그들은 혈연관계보다도 더 깊은 관계를 맺을 생각이었다. 엄하고도 따뜻한 양부모가 되어주고 싶어 했다.

버려진 아픈 기억을 가진 그들은 아이의 아픔에 공감했다. 하지만 원인 모를 고집까지 용납할 수는 없었다. 엄하고도 따뜻한 부모, 그들은 그런 부모가 되

고 싶었다. 잘못을 바로잡아 주는 사람. 아이의 고집
이 그리 중요할 줄은 몰랐다.

그들은 사망 직전까지 살아있을지 죽었을지 모를 아
이를 걱정했다. 하지만 사망 직전의 그들에겐 말할
힘도 남아있지 않았다. 고집부리는 아이를 교육 목
적으로 가둔 건데 자신이 가둔 아이가 죽을 위기에
처했다.

사인(死因)은 질식사였다. 감이처럼 질식으로 쓰러진
거다. 하지만 그들은 감이와 달리 다시 깨어나지 못
했다.

아이는 질식했지만, 살았다는 것과 그들은 살지 못
했다는 것 외에도 아이와 그들 사이에는 차이점이
있었다.

아이는 고의로 자신의 숨통을 조였다. 자기 자신을
직접 질식시킨 것이다. 반면, 그들은 멀쩡히 숨 쉬다
가 갑자기 질식사했다.

아니, 겉보기에만 멀쩡했던 거다. 그들을 질식사하게 만든 건 공기 청정기 속 물질이었다. 감이가 기운이 안 좋다며 가리켰던 그 공기 청정기 말이다. 정말 그 공기 청정기가 그들을 죽음으로 몰아갔다.

그들은 죽을 때까지 그들이 공기청정기에 대해 오해 했음을 알지 못했다. 공기청정기가 그들을 죽음으로 몰아갔음을 알지 못했다.

아무도 알려주지 않았다. 판매원, 제조 공장 등 이 일의 원흉이 된 모두가 제대로 된 보상 없이 이 일 을 무마하려 했다.

당시 아이가 사는 나라의 모든 집이라고 해도 과언 이 아닐 정도로 많은 곳에서 사람들이 같은 이유로 죽어 나갔다.

몸에 좋다는 거짓말에 속아 공기청정기 약을 사서 사용한 이들 모두가 원인도 모른 채 억울하게 죽어

나갔다.

공기청정기 약으로 수많은 사람의 목숨을 앗아가고 벌어들인 떼돈으로 먹고살았다. 여기저기서 많은 사람이 돈을 무기로 법의 심판을 피했다.

자신의 무기인 돈을 벌어들이기 위해 공기 청정기 약을 팔아 사람들을 죽음으로 몰아갔고 생존한 사람들은 바보 취급했다.

멀쩡한 공기청정기 약을 이상한 것 취급하는 사람들로 몰아갔다. 그들이 유익하다고 우기는 공기 청정기 약은 많은 이들의 목숨을 앗아갔다.

공기 청정기 약을 좋다고 우기며 다른 사람들에게 열심히 팔면서도 자신이 쓰기는 거부하는 그들.

그들도 알고 있었다. 그게 독약이라는 걸 정확한 정보를 구하기 힘든 세상이었다. 거짓말을 사실보다 당당하게 하고 다니는 이곳에서 거짓말은 사실보다 더 우대받았다.

그렇게 돈 하나 때문에 공기 청정기 약을 가장한 독약이 탄생했고 공기 청정기에 물 대신 공기 청정기 약을 넣은 이들은 떼죽음을 당했다.

자신이 그토록 믿어온 공기 청정기, 자신의 건강을 지켜주리라 믿어왔던 그 믿음이 사람들에게 고통을 안겼다.

사람들을 죽게 만든 원인은 무엇보다도 사기꾼들에게 있었다. 그들은 자신이 받는 신뢰의 가치를 알지 못했다. 아니, 알고 있었다. 너무 잘 알고 있었기에 자신의 욕망 하나를 위해 철저히 이용한 것이다.

죽는 이유조차 모른 채 죽어 나갔다. 생존자들은 죽음보다 괴로운 후유증을 앓으면서 죽는 것보다 힘든 삶을 살아갔다. 죽은 이들을 그리워하면서 사랑하는 이들을 죽음으로 몰아간 자들에 맞서 외로운 투쟁을 벌였다.

더 이상 같은 이유로 죽는 사람이 있지 않았으면 하는 마음으로 공기 청정기 약을 가장한 독약의 실체를 퍼뜨렸다. 그리고 공기 청정기 약에 대한 명예훼손으로 억울하게 법의 심판 아래 섰다.

어째서인지 법조차 돈 아래 눌려 있었다. 돈을 가진 이들에게 모든 게 도구로 쓰였다. 그렇게 당시 많은 이들이 죽어 나갔다.

아이가 만일 숨을 참지 않았다면 폐를 영영 잃고 말았을지도 모른다. 죽거나 죽음보다 괴로운 삶을 살거나 둘 중 하나였을 것이다.

아이는 결국 질식으로 병원에 실려 갔다. 하지만 다행히도 비참한 결과는 피할 수 있게 되었다. 아이의 폐에는 공기청정기 속 물질이 거의 없었다.

아이는 병원에서 그들을 위해 울었고 아이의 양부모가 되려 했던 그들은 유령이 되어 아이를 바라보며 눈물을 흘렸다. 서로 피 한 방울 섞이지 않은 그들과 아이는 서로를 위해 울었다.

그들은 사망 직전 아이를 떠올리며 마음으로 울었고 아이는 그들의 장례식장에서 사생아라고 삿대질 당하면서 닭똥 같은 눈물을 뚝뚝 흘렸다.

수많은 순수한 국민을 죽음으로 몰아간 그 사건, 우리나라에만 판매된 독약. 좋은 것이라고 속아 독약을 독약인 줄도 모른 채, 공기청정기에 들이부었던 사람들, 사람들을 속여 떼돈을 벌어간 사기꾼들. 남는 게 상처뿐이었던 그 사건, 나는 잊지 않고 있다.

"고인의 명복을 빕니다"

두 손을 합장하고 진심을 담아 억울하게 생사의 경계 너머로 건너간, 오늘을 맞이 못 한 채 저세상으로 건너간 이들을 위해 명복을 빌었다.

그리고 죽는 것보다 고통스러운 삶을 살고 있거나

죽는 것보다 고통스러운 삶을 살다 죽었을 이들을 위해 기도를 드렸다.

만일 꿈속 기억이 내 기억이 맞았다면 그 기억은 계단 난간에서 눈 뜨기 전의 기억일 테다. 계단 난간에서 눈을 뜬 지는 약 4년이 지났다.

지금으로부터 약 4년 전이라 해도 그때는 공기청정기 참사가 지난 지 꽤 오래되었을 때다.

공기청정기 사건 발발한 지 꽤 오래됐을 때다. 계단 난간에서 눈 떴던 날보다 예전 이야기를 기억으로 가지고 있다는 것은 내가 계단 난간에서 눈 뜨기 전을 조금씩 기억하기 시작했다는 것을 의미한다.

한편, 보호자를 다시 잃은 아이는 또다시 정처(定處) 없이 떠돌아다니는 방랑자의 길을 걷게 되었다. 갈 곳 없는 어린 방랑자는 너무도 덧없는 존재였다.

언제 죽어도 이상하지 않을 나약한 존재. 하지만 작

지만, 끈질긴 잡초처럼 끈질기게 살아남았다. 그래서 더더욱 미움받았다.

그 아이의 주변에는 사건 사고가 끊이지 않았고 사건 사고 끝에 살아남는 생존자는 아이뿐이었다. 독한 년이라고 욕을 먹었다. 그들은 아이를 주운 날 죽음을 맞이했다.

아이가 죽음을 가져온 것도 아닌데, 아이는 죽음을 몰아온 마녀 취급을 당했다. 아이의 편을 들어줄 사람도 들어줄 이유도 더 이상 없었다. 아이의 편이었던 이들은 모두 저세상으로 떠나갔기 때문이다.

혼자 살아남는다고 욕하는 사람들은 있어도 아이의 도움을 받아들여 살아남는 사람은 없었다. 아이가 죽음을 예언하거나 해결책을 내놓아도 믿어주는 이 하나 없었다.

언제 죽어도 이상하지 않을 아이를 언제 납치해도 이상하지 않을 납치범들이 잡아가려 하는 모습을 꿈에서 보았다. 납치범들의 자루에는 혀, 손 등의 신체 부위들과 얼음 봉지가 들어있었다.

감이를 납치했던 자들과 비슷한 부류의 사람들인 듯하다. 아니, 어쩌면 이 아이가 감이일지도 모른다. 내가 지금 꿈속에서 소문으로만 듣던 감이의 어린 시절을 보고 있는 것일 수도 있다.

감이였다. 어릴 때의 모습과 지금의 모습이 많이 다르긴 했지만 알아볼 수 있었다. 감이의 손에 적힌 감이의 이름. 들어본 적 있다.

감이의 어린 시절에 대해. 감이는 기억력이 안 좋아서 자신이 누구인지조차 자주 잊어버렸다고 한다.

그래서 감이의 손에는 늘 감이의 이름이 적혀 있었다. 다른 사람이 적어줬다. 이감. 한자로 쓰면 李 (자두나무 이), 感 (느낄 감)이다.

하지만 감이는 주로 (다를 이) 異, 感 느낄 감이라

불린다. 당시 감이의 이름은 이감이었다.

당시 공기 청정기 사건으로 죽은 이들은 감이의 친가족이 아니었다. 아까 언급했다시피 감이를 주운 남들일 뿐이었다.

감이는 친가족으로 돌아와 자신의 진짜 성을 되찾았다. 친가족에 다시 돌아오는 데는 꽤 오랜 시간이 걸렸다. 감이가 가족의 품 밖에서 겪은 일들은 묵인되었다.

감이가 자신이 겪은 일을 조심스레 용기 내어 꺼내놓을 때, 감이의 말은 무시당하곤 했다. 그 과정이야 어찌 되었든 간에, 감이는 원래 가정으로 돌아왔다. 남의 성씨 "이" 대신 "홍"을 쓰게 되었다.

감이는 새로운 환경에서 새로운 보호자를 마주할 때마다 이전 보호자들과의 추억을 애써 무시해야 했다. 감이는 다른 사람에게 맡겨질 때가 많았다.

물론 이번에는 맡겨진 게 아니긴 하다. 예전 보호자를 애써 잊고 새 보호자에게 적응해야 하는 날들이 반복되었다. 새 보호자들은 감이로 예전 보호자를 망각하고 무시하길 바랐다.

"내가 더 낫지? 예전에 너 데리고 있던
사람은 기억도 안 나지?"

"진짜 기억 안 하는 거 맞아?
로마에 오면 로마의 법을 따르라.
여기 왔으면 우리만 기억해야지!
안 그래?

답이 정해진 질문이었다. 상황과 전혀 상관없는 것들을 대화 소재로 써먹었다. 아무 때나 로마의 법 이야기를 들먹였고 억지를 부렸다. 좀 더 이색적이고 낯선 말들을 하면 더 지적인 사람처럼 보일 것이라 확신하는 그들이었다.

그들의 압박은 갈수록 더 세졌고 예전 보호자를 그

리워하지 않는 사람도 버거워할 정도가 되어 버렸다. 계속 감이에게 자신과 예전 보호자들을 비교하라 하면서 자신을 한도 끝도 없이 치켜세워 주길 바랐다.

그들의 욕심은 거기서 그치지 않았다. 자신과 예전 보호자들을 비교하면서 예전 보호자들을 깎아내리고 비하하고 헐뜯었다. 한때 감이의 가족이었던 그들을. 예전 보호자도 별반 다를 바 없었다. 예전 보호자들도 예전 보호자의 예전 보호자들을 욕했다.

그저 자신보다 먼저 보호자 위치에 있던 사람들을 욕하면서 감이의 반응을 즐겼다. 그들과 함께 욕하지 않고, 그들의 편에 서지 않고 적당한 이유 없이 미움받는 예전 보호자들의 편에 서는 감이를 비웃었다.

거짓말은 통하지 않았다. 어떻게든 감이의 진심을 끄집어냈다. 기억하지 못하는 척해도 소용없었다. 예전 보호자는 모르는 척해야 하는 존재가 아니었다. 정말 몰라야 하는 존재였다. 감이에게 다른 사람들

을 속일 힘은 없었다. 진실을 드러낼 방법은 다양했
다.

자신보다 약한 존재 앞에서 자신의 힘을 과시하는
것, 감이가 싫어할 것을 알면서 감이를 돌본 예전
보호자들을 욕하는 건 그들이 훈육이라고 칭하며 누
리는 쾌락이었다.

감이에게 그들의 행동이 틀렸다고 알려주는 사람은
없었다. 그래서 감이는 알지 못했다. 그 행동이 비윤
리적이며, 틀린 행동인 것을.

감이는 자신의 고통을 비윤리적이라고 생각했다. 당
해서 마땅한 일들을 향해 반항심을 품는 것은 감이
가 가져선 안 될 마음가짐이었다.

어느 날부터인가 감이가 사람들을 기억하지 못하기
시작했다. 망각을 고의로 반복한 감이에게 결국 올
것이 오고 만 것이다.

"안면 인식 장애" 사람들을 알아보지도, 구분하지도 못하게 되었다. 나는 그런 감이에게 사람을 구분하고 누가 누군지 알아보게 해 주는 눈이 되어 주었다.

감이는 날 만나기 전까진 엄마, 아빠도 알아보지 못했다. 심지어 자기 얼굴조차 몰라봤다. 그런 감이에게 나를 만난 건 정말 행운이었다.
나 또한 감이를 만난 게 행운이었다.

홍감. 감이가 버려졌으리라 추측하고 감이를 주워간 사람들의 추측은 어긋났다. 감이는 매년 여름마다 거쳐야 할 과정을 거치던 중 길을 잃었다.

여름 합숙에 갔다가 길을 잃어 어딘지도 모를 곳을 헤매다가 쓰러진 감이를 사람들이 불쌍히 여겨 데리고 갔다.

매년 여름, 어른들은 학생들을 모아 여름 합숙을 시행한다. 합숙뿐만 아니라 여러 훈련을 진행한다. 그날은 여름 합숙 이틀날, 생존 수영 학습을 가장한 물놀이를 하러 가는 날이었다.

아이들은 덥디더운 여름에 차디찬 물속에서 헤엄칠 생각으로 잔뜩 들떠 있었다. 선생이라는 명분으로 아이들과 함께 온 부모들은 봄꽃보다 더 해맑게 웃는 아이들을 마냥 오냐오냐해 주고 싶은 마음이 굴뚝같았다.

남의 아이도 아니고 제 자식인데 안 예뻐 보일 리가 있겠는가? 다만 감이는 예외였다. 지도 교사로 온 이들은 모두 감이와 혈연관계 없는 남들이었다.

여름 합숙 특별 행사로 인해 여름 합숙 지도 교사로 여름 합숙에 참여한 그들은 감이를 신경 쓰지 않았다. 그렇다고 차별하거나 무시한 것도 아니다. 아무렇지 않아 했다.

그저 내 아이와 잘 지내주면 그만이라는 것이 그들의 의견이었다. 하지만 그게 틀렸다는 것을 깨닫는 데는 시간이 그리 오래 걸리지 않았다.

감이와 감이의 친구들은 서로 모르는 사이보다 못한 사이였다. 잘 지내지 못한다고 해서 감이의 친구들이 손해볼 것은 없었다. 아니? 오히려 득을 봤다.

감이와 어울리지 않는 것은 아이들에게 있어 기본적으로 지켜야 할 덕목과도 같았다. 감이는 아이들과 함께하기 버거워했다.

대화하는 것조차 버거워 보였다. 하지만 대화에 끼어들지도 못하는 감이는 늘 대화의 주제로서 학생들의 입에 오르내렸다.

어처구니없게도 학생들이 나누는 대화의 주제는 늘 감이였다. 감이가 없는 곳에서, 때로는 감이가 보는 앞에서 감이의 이야기가 아이들 입에 오르내렸다.

감이 자신의 험담을 자랑처럼 하는 아이들 앞에 감이가 할 수 있는 일은 아무것도 없었다. 눈살 조금만 찌푸려도 친구를 저주했느니, 친구에게 눈으로 레이저를 쏘려고 했느니 하는 헛소문들이 나돌았다.

감이가 목소리를 조금만 날카롭게 하면 아이들이 과한 반응을 보였다. "너도 하면서 왜 우리는 하면 안 돼? 그런 법이 어딨어?"라고, 줄곧 말했다.

감이의 잘못은 감이의 친구들에게 자유를 안겨주었다. 감이의 잘못은 언제든지 모방해도 된다는 태도였을까? 그들의 잘못은 모방에서 그치지 않았다.

감이가 눈살을 찌푸리면 그들은 인상을 구기고서 감이의 눈을 찔러 감이로 그들을 째려보지 못하게 했다. 말이 안 통하는 짐승 취급을 하려 들었다.

그렇게 지도 교사로 불려 온 이들은 자신이 결코 보고 싶지 않았던, 상상하지도 못했던 자녀들의 어두운 면을 마주하게 되었다. 집에서 예의 바르고 예쁘기만 하던 아이들은 감이 앞에 서면 괴물이 되었다.

그들을 그렇게 만든 것은 자유였다. 감이 앞에서 그

들은 규칙으로부터 얼마든지 자유로울 수 있었다. 하지만 자신이 잘 보이고픈 대상 앞에선 그렇지 못했다.

잘 보여야 했기에 더욱 위선을 떨었고 착한 사람을 연기했다. 감이는 그들에게 잘 보일 대상도, 함부로 대해선 안 되는 대상도 아니었다.

그저 살면서 쌓아온 악감정을 버릴 수 있는 감정 쓰레기통이었다. "감정 쓰레기통" 그게 바로 감이의 또 다른 이름이었다. 비공식적 명칭을 가장한 공식적 이름이었다.

홍감이라는 이쁜 이름은 감정 쓰레기통 아래로 묻혔다. 홍감을 홍감이라고 생각하는 사람들도 점차 줄어들었다. 자신이 감정 쓰레기통이라고 부르는 이의 진짜 이름을 아는 이는 얼마 없었다.

만일 이들을 만나게 되면 "야 너 홍감 누군지 알아?"라고 물어보라. 절대 대답하지 못할 것이다. 감정 쓰레기통에 관해 물어본다 해도 아무 대답하지 못할 것이다. 그들도 알고 있다.

그들이 감이를 감정 쓰레기통 취급하는 것이 결코 옳은 일이 아니라는 것을. 모를 리 없다. 모르는 척 하는 것도 아니다. 단지 즐길 뿐이다. 모두가 그런 건 아니었다.

하지만 그렇지 않은 이들은 방관자일 뿐이었다. 아무것도 안 하는 그들, 그들은 자기 삶만을 착실히 살았다. 어쩌면 평생 이들을 만날 일이 없을지도 모른다.

예전에 감이가 여름 합숙을 했다던 그곳으로 가 본 적이 있다. 감이의 과거사를 알고 싶어서 몰래 관리 사무소로 들어가 당시 촬영용으로 쓰인 CCTV를 자세히 보았다.

CCTV에는 친절하게도 음성 녹화 기능이 있었다. 감이를 험담하던 학생들의 목소리가 녹음되어 있었다.

잡음 하나 뭉그러지지 않았다. 시간이 꽤 지났을텐
제도 CCTV 녹화본이 그대로 남아 있었다.

"야, 쟤가 바로 귀신 본다던 애야?"

"응, 완전 으스스하다. 그치?"

"아, 그니깐~ 대체 무슨 낯짝으로 저렇게 뻔뻔하게
대낮에 돌아다니는 거야? 피도 안 마른 게."

"어휴~ 요즘 세상 참 많이 좋아졌다."

요즘 세상을 살아가는 요즘 아이들이 웃으며 감이를
손가락질했다. 그들은 그들이 피도 안 말랐다고
표현한 대상과 같은 나이의 아이들이었다.

"그니깐~ 나 때는 말이야~
귀신 보는 사람은 마을 안에 들이지도 않았어."

어떤 때를 말하는지는 몰라도 하나는 확실했다.

그게 그들의 때가 아니라는 것.

"당연히 쫓아냈겠지."

적당한 이유 없이 감이를 삿대질하며 괄시하는
그들에겐 감이를 쫓아낼 자격이 전혀 없었다.
쫓겨날 이유라면 몰라도 쫓아낼 자격은 없다.

"우리 아니었음, 어쩔 뻔했어?"

감이를 험담하는 외중에도 그들은 그들의 위선을
치켜세웠다. 그들 자신을 아끼고 사랑했다. 정말 남
보여주기 부끄러운 자기애였다.

"더 심했겠지. 근데 쟤는 더 심한 애들 만나봐야 해."

"야, 너무해. 우리보다 심한 애 만났다가 우리 보고
싶어 하면 어쩌라고 그러나?"

정말 쓸데없는 걱정을 하고 있다. 마음 같아선

CCTV를 부수고 들어가 그들을 두들겨 패고 싶지만 참기로 했다. 생생하게 보였다. 손만 뻗어도 닿을 것만 같았다. 하지만 그렇다고 해서 무고한 CCTV를 망가뜨릴 수는 없었다.

(CCTV는 비싸다. 부수면 다른 사람들이 원인도 모르는 채 CCTV 수리를 위해 고생하게 될 것이다. 그런 상황을 원하지 않는다.)

  "어이, 거기 누구야? 누가 허락도 없이 CCTV 관리실에 들어갔어? 지금 누구 맘대로 CCTV를 보는 거야 이것들아!"

밖을 내다보니, 흰머리 난 노파가 지팡이를 짚고서 뛰어오고 있었다. 뛰어올 수 있으면서도 지팡이를 짚고 온다는 것이 이상하게 느껴졌다.

지팡이가 오히려 짐스러워 보였다. 걸음을 도와주는 역할 대신 걸음을 방해하는 역할을 하고 있었다.

내가 CCTV를 부쉈다면 고생했을 다른 사람 중 하나였다. 호랑이도 제 말 하면 온다더니, 아무래도 관리소장께서 호랑이만큼 무서운 게 맞긴 맞나 보다.

제아무리 힘 좋고 목소리가 크다 한들 나를 볼 수는 없었다. 나를 느낄 수 없었다. 하지만 감이는 감각했다. 그게 바로 감이의 가장 큰 약점이었다.

그 사건은 과학적으로 입증 불가한 폴터가이스트 현상으로 남게 되었다. 감이는 폴터가이스트 현상을 자꾸 필터 갈아치워 현상이라 부른다.

폴터가이스트 현상과 '필터 갈아치워'라는 말의 발음이 비슷해서라는 게 이유였다. 다시 본론으로 돌아가서 감이가 우리를 보는 이유 이야기로 돌아가도록 하겠다.

감이는 나를 보고 느꼈다. 그뿐만 아니라 나와 같은 존재들을 모두 보고 느꼈다. 하지만 나는 나와 같다고 불리는 이들과 아무런 친분이 없었다.

그들은 나와 같았다. 하지만 어찌 보면, 나와 가장 다른 존재나 다름없었다. 죄의식을 가지는 것과 죄의식을 갖지 않는 것.

그게 바로 다른 사람들에게 보이지 않는 나와 같은 존재들과 나 사이의 한 끗 차이다.

그들은 감이의 연구 대상이 된 것을 누구에게도 보이지 않는 이들로서 누리는 당연한 권리라고 생각한다. 누군가와 교감하고 웃고 떠드는 것에 제한받는 것에 대한 보상이라 생각하는 것이다.

감이가 우릴 그렇게 만든 것도 아닐 것이다. 아니다. 그런데도 그들은 뻔뻔하게 자신이 입고 있는 은혜를 당연시하고 있다. 그게 이유였다.

내가 그들을 언급하지 않는 이유. 감이는 우리의 정체를 알아내어 악령이라는 오명을 벗겨내고자 하고 있다.

어쩌다 우리의 생일이 되어 버린 2월 29일. 그날부터 감이는 이익 볼 것 하나 없고 손해 볼 일만 많은 연구를 지속해 왔다. 진실로 증명된 두터운 기록을 계속 읽길 반복했다.

기록에는 놀랍게도 모든 게 기록되어 있었다. 정말 그랬다. 그래서 기록에 없는 것은 모두 악령 취급당했다. 기록에서 빠진 기타 누락자 따윈 있을 수도 없다는 것이 공공으로 인증된 사실이다.

만일 기타 누락자가 있다면, 기타 누락자가 기타 누락자라는 명분 아래 기록되어 있다면, 아무도 모르는 아무도 못 보는 그런 존재가 있다면, 감이에게 그런 존재들을 볼 자격이 있다고 기록에 쓰여 있다면 어떨까? 쓰여 있으면 좋겠다.

기록으로 홍안과 홍안의 후예들, 그들의 존재를 증명했다. 기록은 언제나 정확하고 확실했다. 물론 아무 기록이나 말하는 건 아니다. 정확하게 증명된 기록을 부르는 정식 명칭이 기록이다.

일반 기록들과 다르게 증명된 기록들은 절대적인 사실들로만 이루어져 있었다. 기록을 의심하는 사람들은 많았지만, 기록이 틀렸단 것을 진짜 증명할 수 있는 사람들은 없었다.

'공적으로' 받는 무시가 사라졌다 뿐이지, '사적으로' 받는 무시는 여전했다. 하지만 공적으로 받는 무시에서 벗어났듯이 사적으로 받는 무시에서도 벗어날 것이다. 더 나아지길 소망한다.

지도 교사들은 아이들 사이에서 뒤처지는 감이를 보며 안타까움과 동정을 느꼈다.

그렇게 사람들은 자신이 때로는 자신의 아이보다 다른 아이를 챙겨줘야 하는 상황에 부닥칠 수도 있다는 것을,

다른 아이를 더 아끼게 될 수 있다는 것을 그리고

그게 더 합당할 수도 있다는 것을 알게 되었다. 지금 감이를 도울 수 없다면, 돕지 않는다면 다음에 자신의 아이가 감이와 같은 처지에 있을 때 어찌할 바를 모를지도 모르는 일이었다.

감이를 지키기 위해 손을 뻗었으나 닿지 않았다. 현실에서처럼 통과해 버렸다. 그 순간이었다. 원인 모를 괴리감을 느꼈다. 그렇게 이게 꿈인 것을 발견했다. 나는 꿈속에서 계속 아무것도 잡을 수 없었다.

뒤늦게 이게 꿈이라는 것을 알게 된 것이다. 꿈을 현실로 받아들이지 않고 꿈으로 인정한 채 꾸는 꿈, 자각몽. 자각몽을 꾸는 것이다. 하지만 안타깝게도 자각몽을 그리 오래 꾸지는 못했다.

자각몽 속에서는 뭐든 맘대로 할 수 있다고 들었다. 만일 내가 좀 더 일찍 자각몽인 것을 깨달았더라면, 또는 더 오래 꿈꿨다면 꿈속의 감이를 도울 수 있었을지도 모른다.

잠에서 깨어나 잠든 감이를 내려다보았다. 현실 속에서도 얼마든지 도움이 될 수 있는데 꿈속에서 도와주지 못한 것이 뭐가 그리 중요한가?

감이의 과거를 꿈속에서 함께했다. 물론 꿈은 내가 들은 감이의 과거를 토대로 내 멋대로 지어낸 거겠지만 말이다.

어찌 되었든 간에 꿈이 현실을 토대로 이루어진 꿈이라는 사실은 변함없다. 말로 들을 때보다 훨씬 더 생생했다. '백문이 불여일견'이라는 말이 괜히 있는 게 아니라는 것을 다시 깨닫게 되었다.

물론 각 상황에 따라 다르겠지만 말이다. 적어도 이 상황에는 '백문이 불여일견'이라는 말이 적합하다.

꿈속에서 보았던 아이와 감이의 얼굴이 겹쳐 보인다. 닮아도 너무 닮았다. 그때 본 그 아이가 이렇게 자랐구나.

아이와 감이의 차이점은 감이에게 쌍꺼풀이 있고 아이에게 쌍꺼풀이 없다는 것과 나이 차이밖에 없다. 무엇보다 감이와 아이 이 둘에게서 느껴지는 분위기가 너무 똑같다.

초점 잃은 멍한 눈동자, 왠지 형을 닮았다. 나의 첫 기억 속 계단 난간 너머에서 마주한 형의 모습. 내 기억의 초반부에서 난 계단 난간에 있었다.

계단 난간에 걸터앉아 있기 전의 기억은 없었다. 계단 난간 밑 계단으로 내려오는 길에 계단 난간 너머로 떨어졌다. 4층에서 1층으로 빠르게 곤두박질쳤다. 곤두박질치는 것은 한순간이었다.

떨어진 이후, 눈을 떠 보니 내 눈앞에 형이 있었다. 형의 목을 감은 줄이 천장 아래 철봉에 묶여 있었다. 형의 발은 바닥을 밟지 못한 채 허공을 밟고 있었다.

형의 목을 감은 밧줄이 피로 물들어 있었다. 누군가 줄로 형의 목을 감았다. 피가 날 정도로 세게, 아주 세게. 형은 눈도 쉬이 감지 못한 채 그곳에서 서서히 생을 마감했다.

형의 초점 잃은 눈동자에 내 모습이 비춰졌다. 형은 줄에 달리기 전에도, 달린 후에도 나를 보지 않았다. 볼 수 없었다. 보고 싶어도 볼 수 없었다. 초점을 맞추느냐 마느냐가 보는 것의 기준이 된다면 감이와 형이 보는 것을 보는 것이라고 인정할 수 없을 것이다.

하지만 초점을 맞추지 않고 보는 것도 보는 것이라면 형은 날 본 거다. 단지 시력이 하나도 안 남아 있는 상태에서 봤을 뿐이다. 형도, 감이도, 형도 언제나 초점 잃은 멍한 눈동자로 허공만을 응시했다. 그 허공에는 내가 서 있었다.

보는 사람의 정신조차 내쫓아 버릴 것 같은 눈빛이었다. 초점 잃은 두 동공을 보다 보면 정신이 나간 게 아닐까, 의심이 들었다.

정신이 나가지 않았단 것을 증명해 주는 건 작문 분야 상장들과 100점짜리 시험지들이었다. 감이는 자신의 지능 저하증에 굴복되지 않았다.

공부와 거리를 둘 수밖에 없을 거라는 사람들의 말을 거짓말로 만들었다. 감이를 지능 저하증이라는 명목으로 차별하려던 사람들은 점차 외면받기 시작했다.

감이는 감이 자신을 옭아매는 사실들을 하나, 둘 거짓으로 만들어 가기 시작했다. 별별 병명들을 빌미로 감이를 한계 안에 가두려던 사람들은 변화하는 감이를 따라잡지 못했다.

그렇게 감이를 옭아매기 위해 한 말들은 그들 자신을 옭아매어 왔다. 그들은 거짓말쟁이가 되기를 자처했다. 물론 그들의 말은 거짓말이 아니었다.

하지만 그들의 말은 하나, 둘 거짓말이 되어갔다. 그들은 병원 진단 없이 전문적 근거 없이 감이의 실수를 트집 잡아 아무 병명이나 붙였다.

감이를 난독증 환자라 부르면, 감이는 독후 감상 작품 부문에서 상을 타서 그들의 말이 거짓임을 증명해 누명에서 벗어났다. 이런 식으로 벗어나야 했던 누명들은 한둘이 아니었다.

감이를 스쳐 지나간 모든 누명은 감이에게 지우지 못할 상처를 남겼다. 상처는 아물지 않았고 계속 감이를 힘들게 했다. 내 팔에 난 종기처럼 붉고 짙은 상처들이 감이의 마음을 붉게 물들이기 시작했다.

다시 본론으로 돌아가 아까 꾼 꿈에 대해 생각해 보기로 했다. 아까 꾼 꿈속 나는 감이의 과거를 보았다. 정말 그게 감이의 과거였을까? 이렇게 확신해도 되는 걸까?

꿈속에서 보았던 그 기억은 누구의 기억일까? 지금은 꿈으로만 기억난다. 내 기억이 아닌 것만 같다. 내 기억이 맞는 걸까? '그냥 개꿈인가 보다.'라고 생각하기로 했다.

나는 감이의 어린 시절을 기억하지 못한다. 하여 감이와 꿈속의 아이가 동일 인물인지도 알 수가 없었다. 감이의 어린 시절 이야기는 말로 들은 게 전부였다.

앞서 반복해서 언급했다시피 내게는 계단 난간에서 눈을 뜨기 전의 기억이 없다. 하지만 꿈속에서 아이의 이름이 감이와 같은 것을 확인했으니 그 정도면 그 아일 감이라고 확신해도 괜찮을 듯하다.

그래서 내가 왜 계단 난간에 앉아 있었는지도 알 수 없다. 난간에서 눈을 뜬 지 얼마 안 되어 계단 난간 아래로 떨어져 버렸다.

그 전에 감이와 마주쳤지만, 감이와 같이 지내게 된 것은 난간에서 떨어진 이후부터다.

계단 난간에서의 기억이 내 첫 기억이다.

"너 그거 알아? 사람이 죽으면 죽은 사람이 자신이 죽은 곳에 갇힌대. 지박령이 되는 거야!"

갑자기 들려오는 맹랑한 목소리의 주인을 찾으러 소리가 난 쪽 즉, 위를 올려다보니, 조금 멍청해 보이는 계집이 TV에서 나오고 있다.

처음 보는 얼굴이다. 논란 많던 기존 모델 대신 나온 듯하다. 이번 모델은 별 논란 없이 무사히 연예계로 진출했으면 한다.

TV 화면 속 모델은 음료수를 등 뒤에서 꺼내 들면서 하던 말을 이어 나갔다.

"너에게 먹혀 너에게 갇히고픈 음료수! 수박 음료수!
너의 지박 음료수가 될 수 있게 도와줘~"

저런 오글거리는 대사를 했다니, 갑자기 TV 속 광고 모델이 불쌍해지려 한다. 뭐, 상관없다. 억지로 하진 않았겠지. 취향은 사람마다 다르다. 어딘가 저런 대사를 좋아하는 사람이 있을지도 모른다.

절대 돕고 싶지 않게 하는 광고였다. 아니, 음료수 판매율을 하락시키는 광고인 듯했다. 이건 개인 의견이니까, 뭐 상관없다. 좋은 광고였어도 싫어했을 것이다.

음료수는 최악이지만 광고 모델만큼은 응원하기로 했다. 음료수 취향은 각자 다를 수 있는 거니까. 화면 속 음료수를 엄지 손가락으로 가리키면서 작게 중얼거렸다.

"저 음료수 맛없어-."

"맛있는데?"

각이와 나는 취향이 완전히 다르다. 정말 다르다.
차라리 맛있단 말만 안 했어도 이질감은 느끼지 않았을 텐데, 아니 이런 차이 하나 이해하지 못하는 내 마음이 좁은 거다.

그때까진 몰랐다. 내가 아직도 꿈을 꾸고 있다는 것을 전혀 알지 못했다. 실명된 것처럼 눈앞이 어두워지기 시작했다. 그리고 한순간에 밝아졌다.

드디어 꿈에서 깨어났다.

눈을 뜨고 현실을 마주했다.

✝

타임캡슐

제9편

진료(診療)

암호명. 무 武

병원 대기실 TV에선 범죄 추리 토크쇼가 방영되고 있었다. 이 토크쇼는 주로 미해결로 끝난 사건들을 두고 이런저런 담화를 나누는 토크쇼다. 동시에 감이의 동급생들이 좋아하는 TV 프로그램이기도 하다.

토크쇼 진행자의 시원시원하고 낭랑한 목소리에 홀린 듯 천장에 달린 TV를 반자동적으로 올려다보았다. 저 토크쇼가 재밌다는 말은 많이 들었지만 직접 보는 것은 처음이다.

"아, 안녕하세요? 반갑습니다. 이렇게 출연자로 모실 수 있게 될 줄은 꿈에도 몰랐어요. (소리 내 웃는다) 혹시 여기 오실 때 뭐 타고 오셨어요?"

"아, 반갑습니다. 이번에 이렇게 유명한 진행자분을 여기서 뵙게 될 줄은 꿈에도 몰랐어요."

"과찬입니다. 허허."

"저는 여기 올 때 택시 타고 왔어요."

"저도 택시 타고 왔어요! 타이밍이 기묘하네요,
오늘 저희가 다룰 사건에서 택시가 나오거든요."

"아, 정말요? 궁금해지네요,
아, 그래서 여기 노란 택시 모형을
놓으셨던 거구나~
앗 혹시 이번 사건 택시 납치 사건 아니에요?"

"어머, 눈치가 백단이네요."

"아하하, 별말씀을요."
(옆머리를 뒤로 쓸어 넘긴다.)

"예, 이거 한번 보실래요?"
(손으로 택시 모형을 가리킨다.)

"네, 알겠어요~ 어머! 너무 귀엽다.
(이번엔 입을 가리고 소리를 내 웃는다.ʼ)

출연자는 부드러운 웃음을 짓고서
탁자 위에 놓인 택시 모형을
강아지 쓰다듬듯이 조심스레 쓰다듬었다.

택시 옆에는 택시 기사로 만든 듯한
모형이 쓰러져 있다.

쓰러져 있는 사람 모형에 카메라 초점이 잡힌다.
하지만 카메라 초점은 다시 출연자를 향한다.

출연자는 택시를 들고서 안을 들여다본다. 택시
모형안에는 사복 차림의 인간 모형이 들어있다.
표정은 그려져 있지 않다.

"둘 중 어느 사람 모형이 택시 기사같이 보여요?"
(진행자가 쓰러진 사람 모형과
택시 모형 안에 있는 사람 모형을 가리킨다.)

출연자가 쓰러진 사람 모형과 택시 모형 안에 있는
사람 모형을 번갈아 가면서 바라본다.

번갈아 가면서 바라보는 횟수가 늘어날수록
출연자의 감정이 극대화되는 것이 보인다.

진행자는 무엇을 고를지 몰라 당황한 출연자 앞에서
여유롭게 미소를 짓고 있다.

"힌트 드릴까요?"

"네!"

진행자가 힌트로 준 종이에는 도둑을
연상케 하는 이미지가 그려져 있었다.

도둑과 납치와 두 명의 사람 중 진짜 택시 기사
찾기가 서로 무슨 연관성이 있을지는 모르겠지만
보다 보면 알게 될 듯하다.

"도둑이 힌트인가요?"

"하하, 그렇게 생각하실 수도 있겠네요."

모호한 대답이었다.
회의감을 조성하려고 일부러
추상적인 답변을 선택한 듯하다.

"혹시 이 차 안에 있는 사람이 도둑인가요?"

"아하하…"

진행자는 신비주의를 유지하려는 듯
아무 대답 없이 멋쩍은 웃음만을 흘렸다.

"아무래도 여기 이 사람이 (쓰러진 사람 모형을
가리키면서) 저 사람한테 (쓰러진 사람 모형을
향했던 손가락으로 차 안에 있는 사람을 가리킨다.)
강도를 당한 게 아닐까요?"

조금 전까지만 해도 여유롭게 웃고 있던 진행자의
표정이 그대로 굳어버렸다. 출연자가 이렇게 질문을

맞춰버린 경우는 흔치 않다.

진행자도, 출연자도 상당히 당황했을 듯하다.
의외의 상황을 일으킨 출연자와 의외의 상황을
목격한 진행자, 그리고 그 장면을 시청하는
나를 포함한 수많은 시청자.

섬뜩하리만치 빠른 속도로 생겨나는 별의별 논란들
진행자와 출연자 사이를 둘러싼 여러 추측,

진행자와 출연자를 두 파로 나누어 갈라지는
시청자들 그들의 비위를 맞추기 위해 화면 속에서
발버둥 치는 그들.

"그럼, 여기 쓰러진 분께서 차도 뺏기고
납치당하신 건가…. 앗 그런데 저는 이번 납치
사건에서 택시 기사가 가해자였다고
알고 있는데요?"

"아유 다들 그렇게 알고 계시더라고요,

만일 그게 맞았다면 이 방송에서 이 사건을
다루지 않지 않았을까요?"

진행자가 출연자에게 의미심장한 눈길을 보내온다.
당연한 것을 왜 묻느냐는 듯한 표정이다.

진행자는 자신이 출연자를 한심해하고 있다는 것을
표정으로 (충분하다 못해 넘치게) 드러내고 있었다.

역시 시청자들이 문제 삼은 것은 출연자를 향한
진행자의 태도였다. 작은 태도 하나, 하나가 모여
시청자들로 등을 보이게 만든 것이다.

문득 성경 말씀 한 구절이 떠올랐다.

"지극히 작은 것에 불의한 자는 큰 것에도 불의하고
지극히 작은 것에 충실한 자는 큰 것에도
충실하느니라"

환자복을 입은 중년 남성이 화가 난 듯 TV 리모컨

을 때리다시피 눌렀다. TV는 약 3초 후 꺼졌다. 이 정도 세기면 리모컨 전원 버튼이 뭉개지고도 남았을 것만 같아 리모컨을 한 번 쓱 쳐다봤다.

멀쩡했다. 버튼이 뭉개졌을 거라는 예상은 보기 좋게 빗나갔다. 하지만 그의 분노는 거기서 멈추지 않았다. 리모컨을 TV에 던지려는 듯 리모컨을 움켜쥔 손을 머리 위로 높이 들었다.

간호사들이 와서 힘겹게 그를 제지했다. 그는 다시는 이 토크쇼를 틀지 않겠다는 맹세를 다섯 번 넘게 받아내고서 리모컨을 쥔 손을 내렸다. 그리고 진료비도 내지 않고 병원 밖을 유유히 나갔다. 심지어 환자복도 그대로 입고 나갔다.

"진료비 내셔야죠~! 입원비는요? 환자분, 계산 아직 덜 끝났어요!" 인내심을 한계치 너머로 써버린 간호사들과 환자를 진정시키는데 하루치 체력을 다 써버린 의사들의 인상이 구겨졌다.

"아휴, 퇴원도 참 시끄럽게 하네그려~ 입원할 때도 아주 소란을 부리더니! 계산 마저 할께요, 아들내미 하자 제대로 교육 못 해 참말로 죄송해유~"

진료비, 입원비 등을 마저 계산하는 할머니의 어깨가 축 늘어져 있다. 감이는 여전히 아무것도 모르고 새근새근 자고 있다. 감이의 진료 차례가 되어 감이를 진료실에 데려갔다.

깨워도 안 일어나길래 그냥 끌고 갔다. 정확히 말하자면 세워서 걷는 사람처럼 보이게 노력하면서 데려갔다. 다른 사람들이 보기에는 눈 감고 흐느적거리면서 가는 사람으로 보였을 것이다.

다행히 아까 전처럼 휴대폰 카메라 렌즈를 들이밀려하는 진상들은 없었다. 감이가 정신을 차린 건 진료실에 들어간 후였다.

"홍감님! 진료실로 들어오세요."

간호사 선생님께서 감이의 이름을 우렁찬 목소리로 부르자, 감이가 화들짝 놀라 눈을 떴다. 감이는 언제 잠들어 있었냐는 듯 눈을 번쩍 뜨고서 씩씩하게 진료실로 뚜벅뚜벅 걸어갔다.

"벽결 농도가 너무 짙습니다.
혹시 최근 벽결을 복용하신 적 있으실까요?

아직 성인이 되지 않았으니, 벽결 섭취는
절대적으로 금기시되어 있을 텐데요,

"전혀 없습니다. 벽결 복용은
사실과 무관한 이야기입니다."

"아, 그걸 증명하시려면 몇몇 검사를
하셔야겠습니다. 만일 증명하지 못하신다면 벽결
불법 복용으로 재판에 넘어갈 수 있어요,

의사 선생님은 감이의 반응을 살피려는 듯 잠시 뜸을 들였다. 뜸 들이는 동안 잠시 숨 막히는 침묵이 흘러갔다.

"복용하셨다면 지금이라도 솔직하게 말씀해 주시면 되겠습니다."

잠시 침묵이 흘렀다. 감이보다 작고 예쁜 간호사 선생님께서 가느다란 목소리로 침묵을 깼다.

"벽결 복용 여부 검사하시러 4번 검사실로 가 보시겠습니다. 저를 따라와 주세요."

간호사 선생님의 얼굴에 어색한 미소가 번졌다. 감이는 의사 선생님께 고개 숙여 작별 인사를 드린 후 간호사 선생님을 따라 검사실을 향해 걸어갔다.

우리가 사는 곳, 토동 행성에서 미성년자의 벽결 섭취는 금기시되어 있다. 벽결은 섭취할 수 있는 소독제다. 하지만 과하게 먹으면 배탈을 유발하기 쉽다.

벽결 섭취 이력이 없는 감이에게서 벽결 성분이 나

왔다. 건강 검진하러 왔다가 감옥 가게 된 상황인가. 정말이지, 별일이 다 있다.

감이의 목을 들여다보고 체내 성분을 검토하는 등, 감이가 벽결을 먹은 적 있는가에 대한 검사가 철저히 이루어졌다. 검사 결과는 진료실에서 들을 예정이었다.

검사 결과를 기다리고만 있는 게 너무 지루해서 기록을 펼쳐 들었다. 과거 회상도 이젠 재미없다. 지금은 현실에 집중해야 한다.

펼쳐진 기록 위 전원을 눌러 기록을 작동시켰다. 기록에서 가장 좋은 기능을 하나 꼽자면 검색 기능이라고 할 수 있다.

검색창에 간단히 "벽결"이라고 써넣었다. 그러자, 방대한 양의 검색 결과들이 기록 화면을 채웠다.
다 읽는 데만 반년 이상의 시간이 걸릴 듯하다.

검색어를 좀 더 구체적으로 써넣을 필요성이 있어. 이번엔 검색창에 벽결도 유전되나요? 라는 문장을 입력했다.

벽결은 직접 섭취하지 않는 이상 몸에서 나오지 않는다. 직접 섭취한다 해도 일정량 넘게 섭취하지 않는 이상 남김없이 소화된다.

많이 먹으면 먹을수록 소화되는 데 시간이 걸리겠지만 결국 소화된다. 만일 벽결이 유전된다면? 일정량을 넘을 정도로 벽결을 많이 복용하면 벽결이 몸에 남는다고 들었다. 몸에 남은 벽결은 다음 세대로 유전될까?

벽결을 직접 먹지 않고도 벽결이 몸에서 검출되는 이유를 아무리 생각해 봐도 유전만 생각난다. 그리하여 유전 탓일 것이라 추리하고 검색어를 "벽결도 유전되나요?"라고 써넣었다.

질문은 질문 창구에 써넣는 게 적합하다고 여긴 듯

검색 결과 대신 질문 창구 링크가 "검색 결과가 만족스럽지 않으시다면 질문 창구를 써 보시는 게 어떨까요?"라는 문구와 함께 떴다.

질문 창구는 정확도가 떨어지겠지만 그래도 떨어져 봤자 얼마나 떨어지겠나 싶어 질문 창구 링크를 눌렀다.

그래서 질문 창구 추천 문구 아래 질문 창구 링크를 복사해서 웹 주소란에 써넣자, 질문 창구 포털로 접속되었다.

질문 창구에 내 질문을 써넣어 보내자마자 답장이 날아들었다.

네, 그렇습니다. 유전됩니다. 하지만 유전되는 경우는 그리 많지 않다. 웬만하면 인체 내부에서 소화되어 버린다. 하지만 간혹 그렇지 않은 경우가 있다. 아예 없다고 해도 과언이 아닐 정도로 흔하지 않은 경우다.

†

타임캡슐

제 9 편

추리 (推理)

암호명. 무 武

감이가 특별해서 그런 건 아니었다. 유전이었다. 다행히도 꽤 평범한 답이었다. 그렇다고 해서 감이네 식구가 대대로 감각을 물려받은 건 아니다. 절대 아니다. 단지 감이만 그렇게 태어난 거다.

감이는 붉은 눈을 가진 홍안의 3대 후예였다. 3대 후손이 아니라 후예였다. 그렇게 감이는 홍안의 후예로서 붉은 눈의 능력을 물려받았다.

여기서 홍안은 민중 국어사전에서 홍안을 검색했을 때 나오는 홍안의 정의 "붉은 얼굴이라는 뜻으로, 젊어서 혈색이 좋은 얼굴을 이르는 말(붉을 홍 紅 얼굴 안顔)"과 전혀 다르다. (붉은 홍 紅 눈 안 眼)

그렇다고 해서 감이의 눈이 붉은 건 아니다. 붉은 눈을 가진 자는 홍안들뿐이다. 감이가 보는 존재는 나다. 홍안의 후예에게 보이는 건 괴이한 것 즉 괴 이다. 하지만 감이가 홍안의 후예가 아닐 가능성도 있다.

하지만 홍안을 물려받은 게 아닐 수도 있다. 홍안의 후손이라고 해서 무조건 물려받아 홍안의 후예가 되는 건 아니기 때문이다. 다만 가능성이 높을 뿐이다. 그렇다고 해서 간단히 단정 지을 순 없다. 기록 관련 사전에서도 그걸 가능성이 있을 뿐이라고 단정 지었다.

제 삼의 감각은 홍안들과 홍안의 후예들이 가지고 있는 감각이었다. 홍안의 후예는 홍안을 물려받는 자들로서, 홍안의 손자, 손녀 중에서도 제일 먼저 태어나는 손자 또는 손녀 중에서도 극소수만이 홍안이 가진 제 삼의 감각을 물려받아 홍안의 후예가 되었다. 그 극소수에 감이가 포함될까?

홍안의 후예. 겉멋만 번지르르하게 든 명칭이다. 홍안의 후예들은 몇 없었다. 게다가 대부분 명이 짧아서 오래 머물지 못하고 세상을 떠났다. 제 삼의 감각과 함께 여러 병을 안고 태어난 까닭이다. 저주라 해도 과언이 아니었다. 어떤 이들은 홍안과 그의 후예들을 초능력자라 불렀다.

사람들이 감각하지 못하는 존재들을 감각하는 사람들. 그들은 간혹 망상증 환자로도 불렸고 무시도 당했다. 감이도 한때 무시당했다.

하지만 결국 감이는 자기 능력을 증명받았다. 그래도 감이는 망상증 환자로 취급받았다. 하지만 그들의 대우는 더 이상 감이에게 영향을 미칠 수 없었다.

제아무리 잘난 거짓말이라 해도 거짓으로 밝혀지면 무의미해진다는 것을 모르는 사람은 없을 것이다. 감이가 보는 것은 악마도, 귀신도 아닌 괴이한 것이었다. 괴이한 것은 한때 인간이었지만 더 이상 인간이 아닌 존재다.

괴이한 것은 죽은 인간도 산 인간도 아닌 '것'이다. 인간의 수명을 다한 괴이한 것은 죽은 사람들과 달리 자신이 죽은 장소에 봉인되지 않는다. 저주를 풀지 않는 이상 죽을 수도 살 수도 없단 말이다.

세상이 끝나는 날까지 저주를 못 푼다면 영벌에 빠지게 될 것이다. 언제 멸망할지 모를 세계다. 잔인하지만 그게 바로 이 세계의 현실이다.

우선 저주를 풀어야 한다. 그게 제일 중요하다.

"저주를 풀어? 그게 무슨 말이야?
저주를 거신 분께서 저주를 풀어주셔야
풀리는 거 아냐?"

여기서 '분'은 당연히도 신을 의미한다. 저주받을 짓을 한 자에게 저주를 내리신 분 말이다.

"무슨 표현을 쓰든 별 상관없잖아."

볼멘소리로 투덜거렸다. 별 트집을 다 잡고 있어!

"그건 신성모독이야!"

내가 생각해 봐도 내가 실언한 게 맞는 것 같다. 신성모독이라니 생각만 해도 아찔하다.

"종교재판 갈까?"

요즘 시대에 종교재판 따윈 없다. 그냥 분위기를 와해하고자 농담 삼아 해 본 말이다. 아니다. 여기만 없는 걸지도 모른다!

"하지만 널 볼 수 있는 사람이 없잖아."

농담으로 한 소리에 뼈 때리는 발언으로 대응하는 이 녀석의 정체가 뭘까?

"그러면 네가 재판 진행하면 되겠네."

아무래도 상관없다.
날 보는 사람은 한 명으로도 족하니까.

"진행할 자격이 없어."

"아, 자격 없어? 그러면 재판
진행 자격 박탈로 나는 무죄. 땅·땅·땅!"

감이는 뭐가 그리 웃기는지 까르르 까르르 웃어댔다.
그런 감이를 간호사 선생님께서 부르셨다.

"진료비는 검사 비용 포함해서 5천 원입니다.
약국에서 진료서 내고 약 받아 받아서 가시면
되겠습니다."

"감사합니다…"

"아, 예. 안녕히 가세요!"

감이와 함께 약국에 갔다. 감이는 일기를 쓰고 책을
읽는 등 감이는 맨정신으로 있을 수 있는 지금, 이
순간을 최대한 누리고 있었다.

약 복용 전에는 그래도 맨정신으로 있을 수 있었다.

약 복용 이후 일정 시간이 지나서 약효가 줄어들었을 때라고 해야 정확하겠지만 말이다.

맨정신의 감이는 너무 암울해 보였다. 그래도 약 복용으로 인해 느끼는 억지스러운 감정보단 낫다. 약을 통해 변화되는 감정과 자신의 의지 하에 변화되는 감정은 서로 다르다. 천차만별이다.

 사람들은 감이에게 마약성 약을 먹였다. 물론 그 약이 잘못된 건 아니었다.

감이가 가진 병으로 인해 그 약이 감이에게 마약과 같은 영향을 끼치는 것이다. 그 병이란 심장병이었다. 그냥 무시하면 그만이었다. 그들은 감이를 무시했다.

심장병은 감이의 일상에 지장을 주지 않았다. 놀라우리만치 아무 영향을 안 끼쳤다. 그래서 심장병 때문에 먹지 말아야 할 것들을 억지로 먹어야 했다. 아무 증상 없는 사람으로서 아무 병 없는 사람을 연기하고 살았다.

본의 아니게 오직 다른 사람의 의지로 심장병을 앓고 있으면서도 심장에 안 좋은 음식을 먹어야 했다. 감이에게 선택권 따윈 없었다.

일정량 넘게 섭취해 버린 경우다. 벽결을 일정량 넘게 먹으면 벽결에 중독된다. 그런 경우엔 벽결이 다음 세대로 유전된다. 다음 세대에선 벽결이 아무 문제를 일으키지 않는다.

벽결에 중독되면 더 이상 벽결을 소화할 수 없게 된다. 이때 소화되지 않은 벽결은 인체에 남아 해로운 영향을 끼친다. 벽결을 과히 먹는 것은 신을 거역하는 것, 보통 일이 아니다.

그리하여, 벽결 중독자들의 눈은 홍안이 된다. 홍안은 신께 저주받아 괴이한 것들이 된 인간들을 뜻한다. 괴이한 것들은 과거에 인간이었다. 하지만 괴이한 것들이 된 순간부터 그들은 인간이 아니다.

그들이 자신을 가리지 않을 때 그들을 본다면 누구든지 미쳐버리기 마련이다. 잠깐 보는 것은 괜찮다. 하지만 일정량 이상 오래 바라본다면 홍안을 가졌든, 안 가졌든 제정신으로 살 수 없게 된다.

홍안을 가지지 않은 자들은 괴이한 것들이 자신을 숨겼을 때, 괴이한 것들을 볼 수 없게 된다. 하지만 홍안을 가진 자들은 괴이한 것들을 볼 수 있다. 그래서 홍안을 가지지 않은 자들은 괴이한 것을 볼 수 없다.

하지만 종종 원인 모를 이유로 홍안 판결 안 받은 자들도 괴이한 것들을 보는 경우가 있다. 보는 순간부터 제정신으로 있을 수 없게 되는 거다. 본 순간부터 그들의 시야는 평범한 시야가 아닌 지옥도가 된다.

홍안을 가진 사람이든 안 가진 사람이든 괴이를 보

지 않은 사람은 제 정신으로 살 수 있다. 하지만 감이는 보고 말았다. 계단 난간 아래로 떨어지는 나를 보고 말았다. 추락 도중 나를 가리는 막이 흔들렸고 가려진 내 모습이 드러나고 말았다.

나 때문에 감이가 힘든 시간을 보낸다는 게 싫었다. 그리고 감이에게 너무 미안했다. 아직 희망은 있다. 감이가 홍안이 아닐 수도 있다는 희망. 벽결 검사기기가 잘못된 걸 수도 있다. 아니 그럴 순 없다. 모든 홍안의 후예들이 홍안을 가지고 있는 건 아니다.

홍안은 다음 세대로 유전된다. 하지만 홍안이 힘을 발휘하는 건 홍안을 가진 자의 다음 세대의 다음 세대 이상으로 홍안이 유전되었을 때이다. 하지만 유전되더라도 힘을 발휘하지 않는 경우가 대다수다.

 벽결을 유전 받아서 있다고 해도 벽결을 섭취해야 유전된 벽결이 힘을 발휘한다. 쉽게 벽결에 중독되어 버린다. 벽결의 힘이 뇌에 미치면 그날부터 평범한 시야는 막을 내린다.

잔혹한 지옥도가 눈 앞에 펼쳐지는 것이다. 시야가 지옥도로 바뀐다는 건 홍안이 되었다는 증거다. 홍안의 후예 중 홍안을 가진 자들은 홍안과 같다. 홍안이다. 감이는 홍안일까?

홍안에 대해 자세히 알아보기 위해 기록을 샅샅이 뒤져본 결과 감이와 같은 자들에 관한 이야기를 찾을 수 있었다. 아직 읽어야 할 기록들이 많이 남았다.

읽다 만 기록을 내려놓고 약국 가판대에서 무료 대여용으로 전시해 둔 소책자를 하나 집어 들었다. 홍안을 가진 자들의 실제 이야기들이 적힌 소책자다. 정확히 말하자면, 홍안을 가진 자들의 지인들이 홍안을 가진 자들에 대해 쓴 진술서라고 말할 수 있다.

"심각한 피해망상 속에 갇혀 다른 사람들을 가해자로 몰아가고 공격하는 기질이 있습니다." "마음속 깊이 품던 트라우마를 직접 보고 느낀다고 합니다." 소책자 사이에는 신문 기사도 여러 줄 스크랩되어 있었다.

"편의점 테러 사건 편의점에서 벽결 중독 증세 (홍안)으로 인해 망상에 빠진 김모 양이 편의점에 있는 5명가량의 인원을 테러범으로 오해해 흉기를 휘둘러 목숨을 앗아갔습니다.

정말 감이가 홍안을 가진 사람일까? 어찌되었건 간에, 기록으로 인해 부정되었던 감이의 감각이 기록으로 증명되었다. 있는 기록을 없는 것 취급한다고 해서 기록이 사라지진 않는다.

없어질 위기를 계속 겪어왔다. 사실로만 이루어진 기록을 없애려는 사람들은 기록의 양만큼이나 많았다. 하지만 진실한 기록을, 증명된 기록을 절대적으로 지키시는 이는 사람이 아니었다. 신이었다.

그것만으로도 기록이 바뀌지 않고 사라지지 않은 것에 대한 이유가 충분했다. 신의 기록을 멸할 이, 어

더 있겠는가?

감이는 유전적으로 산 자들의 시야 밖에 있는 것을
볼 수 있는 시야를 가지고 태어났다. 그래서 태어날
때부터 다른 세계를 보고 살아왔다.

그렇게 결론을 내릴 수밖에 없었다. 기록을 더 읽어
내려갔다. 감이네 식구 중 다른 사람들이 못 보는
존재들을 보는 이는 감이밖에 없었다. 다른 사람의
감각을 유전 받은 게 아니다.

다른 사람에게서 유전 받은 것이 감이에게 인간이
보지 못하는 것을 보게 하는 감각으로 자리 잡은 것
이다. 이 감각은 제 삼의 감각이라고도 불린다. 물론
여기선 홍안이라는 말이 제일 정확할 것이다.

한편, 제 삼의 감각을 물려받을 때 간혹 반사회적
인격장애를 함께 물려받는 경우가 있다고 한다. 감
이는 지극히 드문 유형이었다.

그렇게 감이는 자신이 원하건 원하지 않건 간에 상관없이 태어날 때부터 다른 감각을 지니고 태어났다. 여기까지가 감이가 우릴 보는 이유다. 감이가 가진 감각으로 감이가 볼 수 있는 건 '괴이한 것들'이었다.

기록에서 괴이한 것들은 신께 저주받은 존재들을 의미한다. 줄여서 괴이라고도 한다. 감이가 제 삼의 감각으로 보는 존재들은 괴이한 것들 즉, 괴이들이다.

감이와 같은 존재들에게만 보이는 우리의 정체를 알게 되었다. 괴이였다. 감이에게 허락된 제 삼의 시야속에는 괴이들이 있었다. 아니라면 어떨까? 감이가 홍안이 아니라면? 의사도 감이가 홍안이라고 하진 않았다. 벽결이 많다고만 했을 뿐.

한편, 감이는 진료실로 불려 갔다. 의사는 내가 기록에서 읽은 내용과 같은 말을 하고 있었다. 어쩌면 저 의사 선생님께서 기록의 질문 창구에서 내 질문에 답해주신 걸지도 모른다.

감이와 나는 기록을 샅샅이 뒤지면서 그동안 알지 못했던 것들을 하나, 둘 알아내었다. 우리에게 벌어진 사건들의 정황을 하나, 둘 알아내었다. 원인 모를 이유로 신께 저주받아 괴이가 된 나는 계단 난간에서 감이를 마주했다.

괴이들은 괴이이기 이전, 인간이었다. 저주를 풀어야 한다. 저주를 푼다고 해서 인간으로 돌아갈 수 있는지는 아직 오리무중이다. 이 행성에는 내가 모르는 것이 정말 많다. 나라는 존재도 나를 보지 못하는 이들에게는 한낱 모르는 존재일 뿐이다.

아무것도 몰랐던 내가 의지할 수 있는 것은 기록이었다. 신의 감동으로 쓰인 기록에는 없는 게 없다.

아무것도 모르기 때문이었을까? 궁금한 게 너무 많았다. 궁금한 것들을 해결하려면 기록이 필요했다. 그래서 언제나 나를 위해 남겨진 빈자리에 걸터앉아 기록을 읽곤 했다.

기록을 읽다가도 옆에 앉아 있는 감이를 종종 쳐다 봤다. 딱히 별 뜻은 없었다. 내가 말 걸지 않는 이상 감이는 아무 말도 없이 가만히 앉아 있을 것이다.

어쩌면 입에 거미줄이 쳐져도 눈치 못 채고 조용히 있을지도 모른다. 감이는 평소 말수가 적은 조용한 친구다. 그래서 감이 옆에 있으면 자꾸 나 자신을 외향적인 사람으로 오해하게 된다.

그런 오해는 다른 사람 앞에 설 때 바로 와장창 부서져 버리고 만다. 의미 없는 오해다. 성격 유형 테스트를 하면 보다 정확한 내 성격을 알게 되겠지만 아직 안 해 봤다. 오늘 해 봐야겠다!

할 일 목록에 성격 유형 테스트하기를 적다가 뜬금 없이 궁금한 게 생겼다. 질문 하나가 떠올라 내 머릿속을 맴돌았다. 나는 감이가 혼자인 것을 싫어할까? 내가 정말 싫어하는 게 맞을까?

감이가 혼자가 아니었다면 나와 친구가 되지 않았을

지도 모른다. 감이가 혼자였기에 나와 함께할 수 있었던 거라고 해도 과언이 아니다.

외향적인 존재들과는 친해지기 어려웠다. 그래서 친구 없는 조용한 사람, 나 같은 사람, 감이를 친구로 삼았다.

서로에게 동질감을 느낄 수 있도록, 내가 선택한 것이다. 그렇기에 내가 감이와 친구로서 함께하면서 느끼는 감정은 측은지심이 아니다.

아니, 측은지심이다. 나는 혼자라고 해도 상처받지 않았다. 하지만 감이는 그러지 못했다. 아니, 애초에 나는 혼자였던 적이 없다. 늘 감이와 함께였다.

할 일 목록에 성격 유형 테스트하기라고 적은 지 약 3일이 지난 후, MBTI 성격 유형 테스트를 해 보았다. ENFP라는 결과가 나왔다.

내향형인 줄 알았는데 외향형이었다. 테스트를 잘못

친 게 아닐까, 조금 의구심도 든다. 감이보다 내가 더 말이 많긴 하다. 어쩌면 내가 날 잘 모르고 있었을지도 모른다.

기록에선 내가 요란해서 저주받았다고도 했다. 인간이었을 때는 지금보다 더 요란하고 시끄러웠을까? 지금도 활발하긴 하다.

단지 나의 활발함을 받아줄 리가 없을 뿐이다. 조용한 친구 옆에서 나 자신을 조용하다고 여겨왔다. 전무후무한 저주였다. 내가 저주를 받기 전에도 내가 받은 저주와 같은 저주를 받은 자는 없었고 앞으로도 없을 거라는 뜻이다.

율례를 지키지 않은 요란한 사람 그게 바로 나였다고 한다. 그렇게 나는 저주를 받아 누구에게도 보이지 않는 괴이한 것이 되어 괴이한 것을 보고 사는 감이와 함께 지내고 있다.

인간으로 돌아가지 못한다고 할지라도 저주를 풀어

야 한다는 사실은 변치 않는다.

만일 저주를 풀지 않고 이대로 있으면 영벌을 받게 될 것이다. 세상이 막을 내리고 새로운 세상이 열릴 때 신과 대립하는 이들에게 영벌이 찾아올 것이다. 영원한 벌, 한 번 받으면 벗어날 수 없는 벌 받기 전에 피해야 한다.

이 벌을 피할 방법은 단 한 가지, 저주를 푸는 것. 물론 내가 풀 순 없다. 저주를 거신 분께서 풀어주셔야만 풀려나겠지! 어째서 저주를 받은 걸까?

조금 뜬금없긴 하지만 예전에 읽었던 추리 소설에서 사건을 수사하는 이야기를 읽은 적이 있다. 상황을 해결하기 위해 수사를 펼치고 증거 자료를 수집하는 그들의 모습과 우리 모습을 덧대어 비교해 보았다.

조용히 기록을 읽고 쓰기만 하는 우리의 수사와 그들의 수사는 달랐다. 사건의 정황을 알아내기 위해 차를 타고 추격전을 벌이고 총격전을 벌이는 여느 추리 소설들과 달리 우리의 정체에 대한 추리는 조용하기 그지없었다.

모든 수사가 같을 수는 없으니까. 언젠가 활발하게 현장 수사를 해야 하는 상황이 온다면 우리도 그들처럼 될까? 내가 저주받은 이유를 찾기 위해 저주받은 집들을 찾아간다든가!

애초에 살아생전의 내게 집이 있었을까? 아니, 지금도 살아있다. 기록에서 괴이들은 죽은 존재들이 아니라 살아있는 존재들이다. 그래서 아직 기회가 있는 것이다. 저주를 풀 기회.

다시 신께로 회개할 기회. 이 기회는 내가 생을 마감하기 전까지 유효하다. 저주를 풀기 전에 생을 마감한다면 그때부터 내게 자비 없는 생지옥이 펼쳐질 것이다.

기록을 읽고 읽길 반복하면서 알지 못했던 것들을 점차 배워나갔다. 다시 본론으로 돌아가자. 감이가 감이에게 주어진 감각으로 보고 느낄 수 있는 건 괴이한 것들이다. 괴이한 것들과 다른 것들은 평범한 사람들도 볼 수 있는 것들 즉, 가시광선 내의 것들이다.

우리는 평범한 사람들의 시야 밖에 있다. 하지만 감이는 본다. 우리를! 그 말은 즉, 우리가 괴이한 것들인 것을 의미한다. 이 말을 계속 반복하는 이유는 나조차 이 사실을 전적으로 부인하고 있기 때문이다.

내 정체가 저주받은 존재라니, 머리로는 인정할 수 있지만 마음으로는 인정하기 어렵다. 인정하기 싫다. 적어도 왜인지는 알아야 할 것 아닌가? 왜 저주받은 걸까?

아까 설명했다시피, 기록에서 괴이한 것들은 신께 저주받은 존재들을 의미한다. 그런 존재들은 감이 같은 특정 인물들에게만 보인다. 왜 특정 인물들에게만 보이는 걸까? 나는 이게 기회라고 생각한다.

저주받은 이들에게 주어진 마지막 기회, 내게는 그 기회가 감이다. 내가 왜 괴이한 것이 되어 유령처럼 살아야 하는지, 이 저주에서 빠져나갈 방법이 무엇인지 감이와 함께 찾아나갈 것이다.

그렇게 기록 속 신께 저주받은 괴이한 것들과 그것들을 볼 수 있는 자들의 이야기를 발견함으로써 감이가 우릴 보는 이유가 입증되었다.

적어도 결단코 회개하지 못하는 사탄과 악마의 속임수에 놀아나고 있는 건 아니라는 거다. 나를 악마로 몰아가는 주장들의 근거로 쓰이던 기록은 더 이상 어긋난 주장의 근거로 쓰이지 못했다.

있는 기록을 없는 것 취급하면서 존재하는 것을 없는 것이라 부정하는 것, 감이의 감각을 부정하는 척하면서 감이 존재 자체를 부정하는 것. 그것은 기록의 존재로 인해 산산이 무너져 내렸다.

계단 난간에서 떨어져 기억인지 환상인지 모를 것을

겪었던 날, 내 앞에서 흔들리던 시체의 모습이 선명히 떠올랐다. 시체와 함께 무너져 내리던 모든 게 겹쳐 보였다. 나를 악마로 몰아가던 그들의 확신이 함께 무너져 내리고 있었다.

그렇게 오늘도 기록을 읽고 조사하는 것을 통해 오명을 하나 벗겨내었다. 그리고 진실을 밝혀내었다. 감이가 우릴 보는 것에 대한 이유를 드디어 알아내었다. 감이가 우릴 보는 이유는 그뿐만이 아니었다. 기록을 계속 읽으며 조사하다 보면 알게 된다.

추리 소설을 읽으며 범인을 추리해 내고 사건의 정황을 알아내듯이 말이다. 공공으로 인증된 기록은 방대하다. 그래서 그 내용 전체를 통달한 사람은 아직 없고 앞으로도 없을 것이라고 전해져 있다. 나도 그렇게 알고 있다.

감이가 인간들 사이에서 의지할 이 하나 없는 외로운 이였다면 나 또한 그들 사이에서 의지할 이 하나 없는 외로운 이였다. 사람들은 그들과 나를 통틀어 유령이라고 부른다. 먼 옛날부터 통상적으로 그렇게 불러왔다고 한다.

내가 유령들 사이에서 혼자였다면 감이는 인간들 사이에서 철저히 혼자였다. 내가 혼자인 것은 괜찮았지만 감이가 혼자인 것은 싫었다.

외로운 존재는 나 하나로도 충분했다. 하지만 감이를 홀로 내버려 두지 않기 위해선 더 이상 혼자 있을 수 없었다. 직접 감이의 친구가 되어 감이를 외롭지 않게 하기로 했다.

직접 친구가 되는 것 외에 다른 방법으로 감이를 외롭지 않게 하는 법이 있을까? 방법이 무엇인지 아직 난 알지 못한다. 방법이 무엇인지 모를 뿐 아니라 방법의 유무 여부조차도 모른다. 괴이한 것의 신분에서 벗어난다면?

그럼 난 다시 인간으로 돌아올까? 인간으로 돌아와 감이의 인간 친구가 되어 줄 수 있을까?

＋

타임캡슐

제 10 편

천 사 (天使)

암호명. 무 武

....

약국에서 약 처방을 기다리는 동안 심심해서 일기장을 펼쳐 들었다. 교환 일기를 쓰자며 감이가 가져간 거다. 교환 일기는 함께 쓰는 것이다. 내 차례가 오기 전에 미리 보는 것 정도는 괜찮겠지?

일기장에는 책갈피 용도로 쓴 것으로 보이는 종이가 끼워져 있었다. 감이의 허락은 안 맡았지만 읽어도 괜찮을 것 같았다. 애초에 내 일기장을 가져가서 쓴 것이기에 이 일기장 주인은 나다.

종이를 잡고 조심스레 공책을 열어보니, 공책 두 면이 동글동글한 글씨체로 빼곡하게 채워져 있었다.

하지만 내 눈길을 사로잡은 건 공책 두 면을 빼곡히 채운 일기가 아니라 책갈피 용도로 쓰인 종이였다. 책장 사이에 아슬아슬하게 끼워져 있던 종이가 책장 사이에서 힘 없이 툭 떨어졌다.

종이에 쓰인 무언가가 왠지 모르게 거슬렸다.

무슨 내용이 적혀 있는지 상당히 궁금했다. 종종 이유를 알 수 없는 호기심이 솟구칠 때가 있는데 나에게는 그때가 지금이었다.

공책에 종이 대신에 붙임딱지를 붙인 후 공책 사이 끼어있던 종이를 집어 들었다. 스티커가 종이 대신에 책갈피 역할을 하고 있으니, 일기가 어디 적혀 있을지 걱정할 필요는 없다.

아니, 애초에 책갈피를 안 꽂는다 해도 문제 될 건 없었다. 굳이 종이를 끼워서 어디 적었는지 표시해야 했을까? 아무래도 상관없다. 제 나름대로 이유가 있겠지.

책갈피 용도로 쓰였던 종이엔 글씨가 빼곡하게 적혀 있었다. 하지만 바로 읽을 수는 없었다. 꼬깃꼬깃 접혀 있었기 때문이다. 읽기 위해선 꼬깃꼬깃 접힌 종이를 펼쳐 드는 게 우선이었다.

꼬깃꼬깃 접혀 있는 종이를 조심조심 펼치면 읽을 수 있을 듯했다. 그런데 문제는 그게 힘들다는 것이었다. 빳빳하고 얇은 종이는 조금만 잘못 건드려도 부서질 것 같았다. 산산조각 날 것 같았다.

가루가 되어 약국 바닥 위에 작은 종이 모래밭을 형성할지도 모른다. 작은 가루들을 모으면 모래 같아 보이지 않는가? 그래서 종이 가루를 모래에 비유했다.

읽기 힘들게 접어둔 걸 보니 읽지 말라고 이렇게 접어둔 건 아닐까? 꼬깃꼬깃 접힌 종이를 펼치다가 문득 그런 생각이 들었다.

만일의 상황을 대비해 종이를 안 읽는 게 나을까?

생각했을 때는 이미 돌이킬 수 없는 상황이 되어 있었다. 꼬깃꼬깃 접힌 종이는 언제 접혔냐는 듯이 깔끔하게 펼쳐져 있었다. 정말 감이의 말대로 내 손놀림이 장난 아니게 빠르긴 한가 보다. 아니, 이건 핑계다. 그냥 읽고 싶어서 펼친 게 맞다.

엎질러진 물을 주워 담을 수는 없다. 펼친 종이를 원래대로 꼬깃꼬깃 접는 데는 시간이 꽤 걸릴 것이다. 어쩔 수 없지. 내가 다시 접는다고 할지라도 이 종이의 주인은 종이가 다르게 접혔다는 것을 쉽게 눈치챌 것이다.

한마디로 다른 사람이 펼친 적 있다는 것을 단번에 알아낼 것이란 뜻이다. 펼친 김에 한 번 읽어보고 접기로 했다. 어차피 들킬 예정이라면 한 번 읽어보는 게 나을 듯했다.

종이를 들고 종이 위 빼곡히 적힌 글자들을 한 글자씩 차근차근 읽어 내려갔다.

종이의 맨 위에는 "관계자 왜 읽지 마시오."라는 문장이 적혀 있었다. 옆에 "?"를 적으려다가 관뒀다. "?"를 적었다면 문장이 더 자연스러웠을지도 모른다. 이 문장 끝에 있는 마침표 위 물결 하나 그으면 "?"

가 된다.

"관계자 왜 읽지 마시오?" 관계자에게 반문하는 듯한 문장이다. 대체 무슨 글이길래 관계자만 읽을 수 있단 걸까? "관계자 외 읽지 마시오."라는 말을 잘못 적은 게 티가 났다. 아무래도 맞춤법을 모르는 사람이 쓴 듯하다.

아니면 왜 읽으면 안 되는지 궁금했던 사람이 고쳐 쓴 걸 수도 있다. 인쇄된 글씨가 아니라서 잘만 쓰면 자연스럽게 고쳐 쓸 수 있다.

종이에 글이 연필로 쓰여 있어서 본인이 수정을 원한다면 지우개로 쓱쓱 지우고 임의대로 수정해 버릴 수도 있다.

지우개를 쓰면 자국이 남기 마련이다. 지우개 자국이 하나도 없는 것을 보니 누군가 임의대로 수정한 건 아닌 듯하다. 제삼자가 개입되지 않았으니, 필자의 소행이라고 볼 수밖에 없다.

이 종이에서 맞춤법 오류는 "관계자 왜 읽지 마시오."라는 문장에서만 발견되었다. 문장 뒤로 이어지는 본문 내용에서는 맞춤법 오류가 발견되지 않았다.

문장 아래에는 본문으로 보이는 글이 빼곡히 적혀 있었다. 그러면 위 문장의 맞춤법 오류는 이 종이를 쓴 필자의 작은 장난인 걸까?

여하튼, 종이 위에 적힌 글의 내용은 이러하다.

―――――――관계자 왜 읽지 마시오 ―――――――

지하 벙커에 있는 자들에게 주어진 책 이야기로 시작을 하려 한다.

어느 날, 지구에 혜성이 떨어졌다.
그 혜성은 너무 작아서 지구에 떨어지는 도중 불타버렸다.

그렇게 혜성은 재가 되어 떨어졌다.

우주 기준에서 작은 먼지밖에 안 되던 그 혜성은 인간의 기준으로 봤을 때 너무 큰 재앙이었다. 재가 하늘을 덮었고 해를 가렸다.

재가 언제 땅에 떨어질지는 그 누구도 알지 못했다. 사람들이 할 수 있었던 것은 하늘 위로 떨어지는 재를 멍하니 쳐다보는 것뿐이었다.

그 누구도 미래를 예측할 수 없었다. 사람들 모두가 하늘 위에서 내려오는 먼지 앞에서 무너졌다.

재는 계속 땅으로 서서히 내려앉고 있었지만 아무도 그 사실을 알지 못했다.

사람들의 눈에는 재가 늘 하늘 위에 그대로 미동도 없이 존재하는 것으로 보였으니까.

재를 가까이서 볼 수 없었다. 아니, 재와 멀리 있는 사람들도 재 때문에 죽음을 맞닥뜨렸다.

더러운 공기를 마신 사람들의 폐는 순식간에 굳어 버렸다.

보이는 것을 아무 의심도 없이 믿어버린 것이다. 그동안 그래왔듯이 말이다.

재로 인해 해가 가려졌고 더 이상 지구에 빛이 들어올 수 없게 되었다.

햇빛이 들어오지 않는 지구는 날마다 더욱 차가워져만 갔다.

추위를 이기고픈 사람들에 의해 핫팩, 온풍기, 난로 등 온열 제품들이 많이 팔렸다.

하지만 그것도 잠깐이었다.

그것들만으로는 추위를 이길 수 없었다.

기구를 통해 얻는 온기보다 사람을 통해 얻는 온기가 더 효율적이라고 느낀 사람들은 사람을 통해 얻는 온기를 위해 자금을 투자하기 시작했다.

오랫동안 재가 사라질 기미를 보이지 않자, 시세가 급격히 올라가기 시작했다.

그렇게 포옹을 포함한 '사람을 통해 얻는 온기'의 가격도 같이 급상승하기 시작했다.

재로 인해 해가 가려져 식물들을 향한 햇빛 공급이 중단되자, 광합성을 할 수 없게 된 식물들은 하나, 둘 힘없이 쓰러져 나갔다.

식물들에게서 더 이상 산소를 공급받을 수 없는 상황에 치닫게 된 것이다.

산소가 줄어드는 상황 속에서도 재는 꾸준히 땅으로 내려오고 있었다.

더럽고 탁한 재의 활보로 인해 공기는 날이 갈수록 탁해져만 갔다.

자연으로부터 깨끗한 공기를 얻을 수 없던 사
람들은 서로에게서 공기를 구하기 시작했다.

그렇게 입김 한 번에 1000원을 지불해야 하는
시대가 도래했다.

재의 시대에 재로 인한 호흡기 질환, 저체온증
등으로 많은 사람이 죽어 나갔다.

ㄴ이미지 출처: 프리픽

재가 햇빛을 완전히 차단했기에 사람들은 더

이상 따스한 햇볕과 함께 하루를 시작할 수 없었다.

재의 시대가 오래 지속되면서 재에 내성을 가진 사람들 일명, 내성종들도 생겨났다.

내성종들만이 아무 도구 없이 밖에서 목숨을 부지할 수 있었기에 그들은 면역 없는 사람들 즉, 약자들을 위해 날마다 밖에서 재를 상대해야 했다.

그들의 일은 재를 없애기 위한 실험들을 진행하는 것이었다. 그 실험은 흔히 재와의 전투라 불려지곤 했다.

실험이라는 정적인 단어는 재를 처리하는 일에 대한 공식적 표현과도 같았다. 반면, 더 현실적인 표현은 실험이 아니라 전투였다.

재로 인해 재앙을 당하는 디스토피아적 현실과의 싸움에 정적인 표현보다는 역동적인 표현이 더 어울리지 않겠는가?

그렇게 약자들은 내성종들의 도움을 받으며 지하벙커에서 목숨을 부지하고 살아갔다. 그렇다고 해서 약자들이 아무 일도 안 하고 도움만 받고 있던 건 아니다.

약자들의 일은 밖에서 받은 정보로 재를 처리하는 법을 연구하는 것이었다. 연구를 한 뒤 내성종들에게 재를 없애기 위한 방안들을 내놓곤 했다.

지하벙커에서 도맡아 하던 사무업 중에는 역사학도 있었다. 재가 오기 전의 시대와 재앙과 재의 시대 초반, 그리고 중반을 연구하는 것이 그들의 일이었다.

오늘은 재앙이 온 날 즉, 재가 해를 가리던 날을 연구하는 날이다. 재가 해를 가린 그 날, 하늘을 날아가던 비행기가 있었다.

그 비행기는 행방불명되었으며, 오늘의 업무는

행방불명된 비행기의 행방을 조사하는 것이었다.

다행히 재가 오기 전의 시대를 연구하는 것보다는 쉬운 일이었다.

지하벙커 속 사람들은 재의 시대에 태어났기 때문에 재가 오기 전의 시대를 알지 못했다.

그들은 지하벙커에서 태어나 지하벙커에서 자라 지하벙커에서 기상청 사람들의 업무를 돕고 있었다. 재를 주제로 공부하는 게 그들의 업무였다.

나중에 커서 위생복 없이도 밖에 나갈 수 있게 되면 바깥사람들과 함께 재를 없애는 업무를 하는 것이 그들에게 정해진 유일한 꿈이자 목표였다.

다른 꿈은 절대로 허락되지 않았다.

여기까지가 지하 벙커에 있는 자들에게 주어진

책 내용을 짤막하게 간추린 것이다. 사실 여부 판단은 곧 멸망할 이 세계를 살아가고 있는 여러분께 맡기겠다.

지금 시각 오후 5시 30분. 1과 2가 저녁 식사를 함께하고 있다. 저녁 메뉴는 알약. 하나만 먹어도 배불러진다나,

어쨌다나. 지하 벙커 속 사람들은 하루 업무를 모두 마치고 쉬는 시간을 가지곤 한다.

그들에게 쉬는 시간은 수다 시간과도 같았다. 정확히 표현하자면 식사 시간이라고 해야겠지만.

업무에 지쳐 못다 한 이야기꽃을 피우는 시간. 그게 그들의 쉬는 시간이었다.

물론 내성 종들에게 입을 열고 대화한다는 것은 상상도 못 할 일이었다. 아무리 면역이 있다고 해도 밖에서 입으로 대화하는 건 무리였다.

그들은 입으로 하는 대화 대신 손으로 수화를 하며 살아간다. 소문으로는 바깥사람들이 말하는 법을 잊은 지 오래라는 소문이 있다. 물론 헛소문일 가능성도 높단 걸 배제할 수는 없다.

하지만 적어도 하나는 확실했다. 지하 벙커 안에서라도 서로를 마주 보고 대화할 수 있다는 것이 감사한 일일 것.

적어도 재 속에서 손을 허우적거리며 수화로 대화해야 하는 일은 없단 뜻이다.

지하 벙커 안에서 서로 마주 보고 대화할 수 있다는 건 그들에게 주어진 특권이었다.

지하 벙커 속 사람들은 서로를 숫자 명으로 부르곤 했다. 아무래도 쉽게 부르기 위함인 듯했다.

물론 내성 종들에겐 숫자로 된 이름조차 존재하지 않았다. 이유는 나도 알지 못한다. 아니, 모르고 싶어 하는 것일지도 모른다.

1: "재가 내리던 날 비행기를 타고 가던 사람들..전부 죽었을까?"

2: "재를 정통으로 맞아 그 누구보다 고통스런 죽음을 맞이하지 않았을까요?"

1: "어떤 죽음이요?"

2: "아유 제가 재에 맞아 죽어봤어야 알죠."

1: "재에 맞아 죽으면 재에 맞는 느낌을 모르지 않을까요?"

2: "왜죠?"

1: "죽은 뒤에도 이 생의 기억이 보존되리라는 보장은 없으니까요."

2: "비행기가 뜬 지도 오랜데 아직도 이 이야기를 하고 있네요. 저희 너무 과거에 매여 있는 것 같아요."

1: "그래도 지하벙커가 있으니 여기서 대화할 수 있죠. 요즘은 밖에서 대화하는 것 자체가 불가능하잖아요."

2: "가능한데요? 왜요?"

1: "밖에서 입 뻥끗이라도 하면 죽는 거 아시잖아요."

2: "그냥 불가능이라는 말이 싫었어요."

1: "예?"

2: "여기 사람들 모두 저 재를 불가능으로만 보니까 이러고 있는 거잖아요. 여기서 제가 할 수 있는 게 아무것도 없어서 너무 답답해요.

지하벙커에 갇혀서 죽는 날만 기다리는 삶이라니.. 너무한 거 아니에요?"

1: "아유 참, 너무 배부른 소리 한 거 아니에

요? 여기서 살아남은 것만 해도 감지덕지지.

여기는 죽음을 기다리는 곳이 아니라 죽음과 맞서 싸우는 곳이에요.

지구 멸망만을 예언하는 신문 기사들에게 눈길 주지 말아요. 저희는 재가 내려 오기 전 평화를 되돌려놓을 때까진 절대 포기 못 합니다."

2: "..."(땅으로 시선을 떨군다.)

1: "저희는 죽음을 기다리는 게 아니라 평화를 향해 나아가고 있는 거에요."

(띵동 소리를 내며 초인종이 울린다.)

2: "엥 지하 벙커 초인종 쓰는 사람이 아직도 있었어? 보통 비밀번호 누르고 오지 않나요?"

1: "외부인인가 보죠."

2: "여기 외부인이 온 건 진짜 오랜만이네요."

갈수록 신경질적으로 울리는 초인종 소리를 그치게 하기 위해선 누구라도 나가야 했다.

2는 참을성 없이 초인종을 연속으로 두들기는 불청객이 있을 현관으로 달려갔다.

1은 2의 뒤통수를 향해 "안녕히 다녀오세요!"라고 마지막 인사를 건넸다.

그 인사가 평범한 동지로서 건넬 수 있었던 마지막 인사가 될 것이라는 것을 전혀 예상도 못한 채 말이다.

하지만 그 인사마저 허공에 흩어져 결국 2에게 전해지지 못했다.

2는 등 뒤에서 1이 인사했단 것도 모른 채 현관으로 뛰어나갔다. 우선 불청객을 처리하는 게 우선이다.

재앙 후 현관은 평온하던 과거와 결코 같지 않

다. 닫힌 문 너머 현관에는 재로 인해 더러워진 외부으로부터 자신을 지키기 위해 존재하는 첨단기계들이 잔뜩 설치되어 있었다.

2는 지하 벙커의 여러 문들을 열고 각 문 앞에 있는 첨단기계로 위생을 철저히 하고 위생복을 입은 뒤 외부와 이어지는 문이자 지하 벙커에서 가장 바깥쪽에 있는 문을 열어젖혔다.

2의 뒤로 문이 스르륵 닫혔다. 빠르고 부드럽고 신속하게 문 닫히는 소리도 없이 문이 닫혔다.

그렇게 2의 지하 벙커 라이프는 갑작스럽게 막을 내렸다.

바닥에 떨어진 2의 위생복만이 한 때 여기 2라는 암호명을 가진 인간이 존재했음을 알려주고 있었다.

1은 시간이 지나도 오지 않는 2가 걱정되어 복잡한 위생 절차를 거쳐 위생복을 입고 밖으로 뛰어 나왔다.

1에게 멀어진 일을 상상도 채 못하고 뛰어나온 2 앞에는 상상도 못한 일이 벌어지고 있었다.

'설마 2의 위생복인가?' 붉게 물든 위생복을 들고 옷에 부착된 명찰 위 암호명을 확인했다.

불길한 예감은 결코 빗나가지 않았다. 명찰 위 반짝이는 숫자, 2가 그 사실을 증명해 주었다.

1의 눈에서 눈물이 흘러 위생복 안을 적시기 시적했다. 위생복은 건조한 것에는 강하지만 물기에 약하다.

재로부터 인간을 지키는 목적에만 충실하게 제작된 것이다. 재로부터 건강을 지켜내는 것.

재는 건조한 존재다. 습기 많은 것들과는 거리가 상당히 멀다. 그래서인지 위생복은 건조한 존재들보다 강했다.

공기 중 떠다니는 작은 재들은
위생복에 닿기도 전에 녹아내렸다.
차갑고 건조한 공기도 위생복 근처에선
따뜻하고 습한 공기로 변해버렸다.

그렇게 위생복은 지하 벙커 속 사람들을 지켜
주었다. 밖에 나가도 다치지 않게, 아프지 않
게. 적어도 그동안은 그랬다.

사람들에게는 위생복이 유익한 존재였다. 하지
만 사람들이 아닌 다른 존재들에게는 그렇지
못했다.

재의 시대 속 위생복은 위생적이지 않은 방법
으로 만들어진 흉물이었다. 지하벙커 사람들은
모르겠지만 외부 사람들은 알고 있다.

위생복을 만들 때 수 많은 사람들, 동물들이 생
명으로서의 가치를 잃고 위생복의 재료들과 함
께 위생복의 재료로 쓰여졌단 것을.

수 많은 생명의 희생에 비해 위생복의 효능은 약한 편이었다. 하지만 위생복은 발명 자체로 이미 기적이었다.

위생복 발명은 불가능에 가까운 게 아니라 불가능 그 자체였다. 그래서 발명 그 자체를 기적이라고 할 수 밖에 없었던 것이다.

눈물로 얼룩져가는 위생복을 입은 채, 2의 위생복을 안고서 지하벙커로 돌아갔다. 젖은 위생복을 입고 안전하게 갈 수 있는 곳은 없었다.

새 위생복은 하루에 한 개씩 지급되기에 새 위생복을 입으려면 내일 아침 동 틀 때까지 기다려야 했다.

위생복은 하루가 지나면 효능을 잃기에 하루 지난 위생복은 의미가 없었다. 원인모를 이유로 사라진 2에게도 위생복이 무의미했다.

1은 하루가 지나기도 전에 위생복을 망가뜨린 것이다. 눈물로 얼룩진 위생복을 입은 채 피로 얼룩진 위생복을 안고 복잡한 위생절차를 걸쳐 지하벙커로 돌아왔다.

지하벙커에서 가능한 외부와의 유일한 통신은 초인종이다.

인터폰도, 무전기도 없다. 휴대전화는 물론 제대로 된 통신기기가 전혀 없다. 통신기기에 쓰였던 재료는 재로부터 자신을 지키기 위한 도구, 위생기기, 치료기기 등의 첨단기기에만 쓰여지고 있다.

재앙 앞에서 사람들은 모두 하나로 뭉쳤고 그 누구도 서로를 비난하거나, 적대시하지 않았다.

그들이 맞서야 할 유일한 적은 대재앙뿐이었으니까. 그래서 그 누구도 보안의 필요성을

한편, 1은 지하 벙커에서 홀로 멍하니 서 있었다. 2를 찾아 나섰다가는 잘못되는 게 아닐까?

걱정되었다. 하지만 이대로 지하 벙커에 머물러

있을 순 없었다. 답답했다.

앞으로 무슨 일이 벌어질지 한 치 앞도 알 수 없는 이 상황이 막막하기만 했다.

지하 벙커 안에 있어도 무슨 일이 벌어질지 알 수 없는 건 마찬가지다.

나가든 안 나가든 안전이 보장되지 않을 것 같았다. 나가기로 했다. 밖의 사람들에게 알려야 한다.

어서 빨리 2를 찾아야 한다. 그런데 지금 오늘 몫으로 주어진 위생복들은 전부 망가져 버렸다.

망가진 위생복들은 지하 벙커로 오는 길에 위생기기들에 의해 폐기 처분되었다. 망가지고 더러워진 위생복은 안에 들일 수 없다.

망가지지만 않았다면 적어도 폐기 처분되지는 않았을 것이다. 망가지지 않은 위생복을 처분해 버리는 멍청한 위생기기는 없으니까.

감정에 치우친 결정이었다. 2를 찾아야 한다는 책임감으로 사로잡혔다. 이유는 알 수 없었다.

위생복 없이 나가려는 1을 막아서는 첨단기기들을 무시하고서 밖으로 뛰쳐나가려 했다.

        "야, 저리 비켜! 너네가 뭔데 날 막아?
         인간도 아니면서 뭘 안다고!
         너네가 날 막을 자격이 있어?"

말도 안 통하는 것들이니 막 대해도 된다고 생각했다. 무슨 근거로 그리 확신했냐고 묻는다면,

첨단기기들에게 소통 기능을 넣은 적이 없기에 인격체 대하듯 정중히 대할 필요성 따위 느끼지 못했다는 빌미를 댈 수 있다.

하지만 1에게 무슨 근거로 첨단기기들을 홀대하냐고 묻거나 따진다면, 이성적 사고가 완전히 배제된 1의 즉흥적인 주먹이 날아왔을 것이다.

그래, 1은 지금 이성적 사고를 완전히 잃은 채, 첨단기기들에 무의미한 폭력을 가하고 있다.

자신을 지켜주던 존재들에 대한 실망감, 언제 누가 찾아올지 모른다는 불안감.

그리고 돌이킬 수 없다는 절망감, 새 위생복이 지급될 때까지 아무런 대처를 못 한 채 기다려야 한다는 것에 대한 불만 등의 감정들이 1을 꽉 휘어잡고 있었다.

1은 자신을 가로막는 모든 걸 밀쳐내고 밖으로 나갔다. 위생복 없이 밖으로 나온 것은 자살 행위와도 같다고 배웠다.

밖으로 나온 1의 시야에 들어온 것은 평소 위생복을 입고 외출할 때마다 본 밖과 전혀 달랐다. 평소와 전혀 다른 바깥 풍경이 1의 눈앞에 펼쳐져 있었다.

죽기 직전 보게 된다던 주마등을 본 걸까?

배운 대로라면, 위생복을 안 입고 나온 1의 죽음은 당연했다. 아니, 당연한 죽음 따위는 없다. 예상된 죽음이 있을 뿐이다.

하지만 1의 눈앞에 들이닥친 것은 죽기 직전 보게 되는 주마등이 아니었다.

눈앞에는 생전 처음 보는 광경이 펼쳐져 있었다. 위생복을 입고선 절대 볼 수 없던 새로운 장소가 눈앞에 있었다.

그동안 지하벙커에서 읽고 배워온 것들이 거짓이라는 것을 발견한 순간 새 삶이 시작되었다.

사실 이 종이에서 언급된 인간 중 진짜 인간은 아무도 없다. 정말 아무도 없다. 이제 2를 찾을 수 없다. 2는 제 발로 1을 찾아갔다.

함께 지하 벙커에서 속으며 살아온 1과 2. 그들은 서로 반대편에 섰다.

1은 위생복을 벗고 새로운 세계를 만나 자신을 속인 자들의 반대편에 섰고 2는 자신을 속인 자에게 잡혀 1의 반대편에서 속이는 자들과 함께 1과 대립했다.

2에게 찾아온 그들은 2에게 1을 행복하게 해주겠다는 조건을 내걸고는 2를 자신의 편으로 끌어들였다.

위생복은 속이는 자들의 꼼수였다. 그것을 입으면 속이는 자들이 준비한 허상만 볼 수 있게 된다. 사실 1과 2에겐 지하 벙커에 있어야 할 이유도 없었다.

그동안 속아온 것이다. 그들은 2의 위생복을 빌미로 1을 잡으려 했다만은 1을 잡으러 가는 척하며 1과 함께 떠나버린 배반자 탓에 실패했다.

이 이야기는 우주 만물의 이야기 중 아주 작은 에피소드일 뿐이다. 남에게 작은 에피소드일지 몰라도 당사자들에게는 아주 중요하고 소중한 이야기일 수 있을 것이다. 정말이다.

진짜 재는 이제 시작이었다. 그들이 준비해 온 진짜 재앙이 현실이 된다. 2를 잡아간 그들은 2의 위생복을 복제해 1도 낚으려 했다.

위생복을 입고 나온 1을 잡아가는 게 원래 계획이었다. 그런데 도중 착오가 있었다. 1을 잡으라고 보낸 이가 1과 함께 도주한 것이다.

2를 찾으러 나왔다가 새로운 세계를 만나 사건의 정황을 알게 된 1은 1을 잡으러 가는 척 탈주해 온 3과 함께 새 삶을 시작하게 되었다.

1과 2는 서로가 서로에게 적이었다. 서로를 죽여야 하는 상황에 놓였다. 진짜 재앙이 시작된 것이다.

2를 같은 편으로 데려오고픈 1과 달리 2는 세뇌에 빠진 채, 1을 적대했다. 초인종 소리를 듣고 밖에 나갔다가 납치된 1은

자신이 사기를 당해 감금당해 있었으며 지하
벙커가 안전한 곳이 아니었다는 것을 끝까지
깨닫지 못했다.

1과 2에게 자칭 위생복을 입힌 자들은 1과 2의
위생복을 만들 때, 얼굴을 가릴 수 있도록 만들
었다. 1과 2가 진짜 세계가 아닌 만들어진 세
계를 보게 했다.

위생복을 입고 있을 때면 상황을 제대로 확인
할 수가 없었다. 재 이야기를 멋대로 지어내어
속인 것이다. 재라는 공동의 적을 내세워 첨단
기기에 의지해 신을 배반하게 했다.

당시 1, 2 외에도 많은 이들이 이런 방식으로
속았을 것으로 추정된다.

많은 이들을 속이고 타락으로 몰아간 그들은
그들 자신조차 타락으로 내몰았다. 신에게 대적
했고 결국 신에게 벌어져 영원한 벌을 받을 운
명에 처했다.

그들이 지어낸 이야기는 현실이 되어 그들을 덮쳤다. 재가 가린 해 아래 흑암으로 가득 찬 지구에서 수많은 이들이 고통스러워했다.

구세계가 막을 내린 후 신세계가 막을 올렸다. 드디어 인간의 세계가 막을 올렸다.

영원할 것만 같았던 *구(舊) 인류 시대가 막을 내리고 *신인류 시대가 막을 올린 것이다.

땅은 신의 뜻을 따라 신인류를 맞이할 준비를 했다. 황량했던 땅에 꽃이 피어나고 풀이 자라나고 나무가 한 그루, 두 그루 자라났다.

피어나는 꽃들 위에 꿀벌들이 모여들고 강가에 잉어들이 두툼한 아가리를 뻐끔거렸다.

*구(舊):옛, 전날의, 묵은, 낡은, 옛날의
*신(新):새, 새로운, 처음, 처음으로, 새로, 새롭게

 나무 위에서는 새들이 지저귀고 나무 아래에

서는 풀잎이 새소리에 맞추어 흔들흔들 춤을 추었다.

당시 신인류는 타락한 구 인류와 달리 동물들과 대화할 수 있었다. 신의 사랑을 차지한 신인류에 대한 타락한 구 인류의 질투는 극을 달했다.

그들은 더 이상 총애를 받을 수 없었다. 하지만 나약한 신인류는 값없이 사랑받았다. 신인류는 그래봤자, 나약한 존재였다.

구 인류 때에도 신인류처럼 나약하고 덧없는 존재들이 있었다만은 그들이 어찌 되었는지는 잘 알지 못한다. 그들이 구 인류인지 아닌지조차 현재로서는 알려진 바가 없다.

신인류에겐 모든 게 허락되었지만 단 하나, 허락되지 않은 것이 있었다. 하지만 신인류는 유혹에 넘어가 그것을 하고 말았다.

인간은 급격히 타락해 버렸다. 더 이상 동물과

대화할 수 없게 되었다. 그래서 전들과도 대화할 수 없게 되었다.

전들은 전들이기 이전, 살아생전에 날짐승들이었기에 동물들과 대화하지 못하는 인간들과 대화할 수 없었다. 일방적으로 인간들의 속마음을 들을 뿐이었다.

죽어버렸다. 죽음이 그것의 대가였다. 영적으로 죽음을 맞이한 그들은 겉보기엔 살아있는 것처럼 보였다. 영적으로 죽는다고 해서 시체가 되는 건 아닌 것이다.

그들에게 들이닥친 죽음은 대가가 아니었다. 그들이 치워야 할 대가는 따로 있었다. 영원히 불타야 하는 운명을 맞닥뜨렸다.

육체의 생명이 끊겼을 때 영적 죽음을 맞이한 영혼들은 타락의 대가로 영원히 불타는 못에 가게 된다. 원하는가 원하지 않는가는 중요하지 않았다. 그게 그들의 잔혹한 운명이었다.

하지만 신께서 친히 신의 아들을 보내어 신인류 대신 대가를 치르셨다. 그렇다고 해서 다시 동물들과 대화하게 된 것은 아니다. 타락한 이들의 범죄는 여전했다.

하지만 이미 대가를 치렀기 때문에 더는 문제가 되지 않았다. 그들은 신의 말씀 안에서 하나가 되어 다소 평화롭게 살아갔다.

하지만 그렇지 못하는 이들도 있었다. 신의 존재를 부정하는 자들, 자신만을 믿는 자들 등이 그랬다. 그들은 죽어서도 계속 대가를 치르게 될 불쌍하고 미련한 자들이었다.

한 편, 구 인류 중 타락하지 않은 이들은 신탁 아래 있었다. 사실, 구 인류는 없다. 천사를 인류에 빗대어 이야기한 것이다. 늦게 밝히게 되어 죄송할 따름이다.

신인류 즉, 인간 한 명당, 두 명의 수호천사가 주어졌다. 하지만 인간들은 대부분 이들의 존재를 알지 못했다. 어떤 인간들은 영적 세계의 존재 자체를 부정했다.

그들은 대가를 치를 운명을 자처했다. 대가를 대신 치르신 신의 아들을 불신했다. 불신자들은 죽어서 영원히 대가를 치른다.

영원히 불타는 못에서 끊임없이 기어오르는 불사의 구더기들과 함께 영원히 죽음의 고통을 견뎌야 한다. 못 견뎌도 상관없다. 나갈 구멍 따위 없으니.

대가를 대신 치러주신 신의 아들을 불신하고 무시한 것에 대한 대가다. 그런 이들이 생기지 않도록 모두가 신과 신의 아들을 믿도록 사람들은 대가를 대신 치러주신 신의 아들 이야기를 널리 퍼뜨렸다.

누구도 불의 못에 떨어지지 않도록 널리 전했다. 불의 못에 가지 않는 이들은 신이 다스리는 왕국에 가게 된다. 그곳에서 영원히 행복하게 산다고 한다.

그곳에서는 더 이상 타락한 인간으로 살 이유가 없다. 타락한 인간이 아닌 신의 자녀로 변화되어 살게 된다. 죽어도 변화되기 전까지는 타락한 인간의 모양을 갖추고 산다.

하지만 변화된 후에는 변화되어 타락한 인간의 삶을 살지 않게 된다. 물론 불신자들은 계속 영원히 타락한 인간으로서 불의 못에 떨어져 있겠지만 말이다.

인류는 불신자들과 신자들로 나뉜다. 모든 인류는 영적 세계를 감각할 수 없다. 죽지 않는 이상 반드시. 그리고 죽은 후에 불신자들이 감각하는 영적 세계에는 한계가 있다. 전들과 대화할 수 없다. 산 자들처럼 말이다.

전들은 죽은 날짐승들로 산 날짐승들처럼 영적 존재가 알아듣는 언어를 쓴다. 다만, 불신자들은 전들의 언어를 알아듣지 못한다. 언제든지 무슨 이유에서라도 예외는 있을 수 있다. 하지만 그 예외 또한 신의 허락이 있어야만 있을 수 있는 것이다.

산 자들은 영적 세계를 감각하지 못하는데 무슨 기준에서인지는 몰라도 어떤 산 자들은 '내게 말하는 천사'와 대화할 수 있다. 볼 수 있다. 물질세계 보고 느끼듯 보고 느끼는 거다.

천사들은 종류가 다양한데 그 중의 각자 한 명당 인간 한 명씩을 맡아 그 인간의 모든 길을 함께하는 천사가 있다. 바로 수호천사다. 수호천사는 인간의 모든 순간을 함께한다. 담당 인간이 겪는 것, 느끼는 것 등….

"야 그 종이를 왜 네가 들고 있어?"

갑자기 어디선가 손이 날아와 종이를 빼앗았다. 종이를 빼앗은 이는 감이였다. 감이의 말로는 그 종이가 책갈피 용으로 쓰인 게 아니라고 한다.

종이를 끼운 채 일기를 쓰고서 종이를 빼는 것을 깜박하고 그냥 줬다나, 어쨌다나. 종이 속에는 기록을 기반으로 쓴 듯한 소설이 쓰여 있었다.

그 소설은 신께 반역하는 천사와 반역하는 천사에게 속아 반역자들과 함께하게 될 뻔했지만 구조받아 신께로 돌이킨 천사 그리고 구조받지 못한 채 신께로 돌아간 천사를 찾는 천사의 이야기가 담겨 있었다.

한편, 반역하는 천사는 영벌을 받으러 갈 때 인간들도 함께 데려가고자 인간들에게 접근한다. 인간은 반역 천사에게 속아 죄인이 되고 신께선 그런 인간을 구원하고자 자기 아들을 친히 보내어 죄를 사해주신다.

반역 천사는 여전히 인간들로 신께 돌이키지 못하게 하려고 자신이 죄에서 구원받았음을 믿지 못하게 하려 한다. 물론 반역 천사에게 속을 뻔한 천사에 관한 이야기는 기록에 나와 있지 않다.

기록 속 이야기를 상상 또는 진실로 구체화해서 쓴 소설인 듯하다. 누구도 관심 가지지 않을 천사들의 사적인 이야기들을 담은 소설인가? 어쩌면 인간들이 기록 내용을 토대로 상상해서 쓴 소설일지도 모르겠다.

수호천사는 실존한다. 나도 몇 번 들어본 바 있다.
어찌 되었든 간에 지금 감이는 내게 화가 나 있다.

자신의 종이를 허락 없이 읽은 것에 대해 상당히 불쾌해했다. 붉어진 감이의 눈의 그것을 증명했다. 나는 내게서 종이를 뺏어간 감이에게 왜 내가 그 종이를 읽고 있었는지 해명했다.

"하, 그래서 허락도 없이 맘대로
다른 사람이 쓴 글을 읽고 있었단 거야?"

"네가 쓴 거면 네가 관리를 잘했어야지.

그 종이를 책갈피같이 공책에 끼워서
준 사람은 너잖아?"

"하지만 그래도…."

"핑계 댈 생각은 하지 마. 소용없으니까."

"일기는 읽었어?"

"아니?"

아끼는 종이를 뺏어가더니, 이번에는 공책을 낚아채
간다. 그렇게 일상 기록장으로 쓰이던 공책을 속수
무책으로 빼앗기고 말았다.

"허락 없이 내가 쓴 글을 읽은 것에 대한 벌이야."

"뭐?"

"사실 더 쓸 이야기가 있어서 가져가는 거야.
나중에 돌려줄게. 고마워!"

아무래도 상관없다. 언제라도 돌려받으면 그만이다.
나는 쓸데없이 매이지 않는다. 화나지 않는다. 어이

없는 상황도 아니다. 뭐, 보여주기 싫을 수 있지. 그럴 수 있지. 아니, 없지! 있지. 그럴 수 있지! 이해된다. 아니, 어떻게 이해해?

작은 일에 매여서 득 될 것은 없다. 작은 일에 충실한 것과 작은 일에 매이는 것은 다르다. 작은 일에 매인다는 것은 작은 일을 용납하지 못하면서 막지도 못하는 어정쩡한 상태를 말하는 게 아닐까?

미련한 거다. 해결하지 못할 것은 해결하지 못할 것으로 정하거나 해결하거나. 둘 중 하나로 결단을 내려야지. 둘 사이에서 맴도는 사람은 미련한 사람이다. 결과를 깔끔하게 인정하는 것도 능력이다.

사실은 사실로 두고 이상은 이상으로 두자. 이상을 구현했을 때 이상이 현실이 되고 사실이 되는 것이다. 작은 일에 매이지 말고 앞을 향해 나아가고자 하는 나의 사상이다. 작은 일에 충실해지자.

"무엇이든지 너희가 땅에서 매면

하늘에서도 매일 것이요,

땅에서부터 풀면 하늘에서도 풀리리라"

—마태복음 18장 18절 말씀—

미련하게 작은 일에 매여 어정쩡하게 있지 말고 충실하게 작은 일 하나, 하나 이겨 나가자. 못 이길 것, 안 이겨도 상관없을 것, 필요 없는 것을 과감하게 내치는 것도 지혜다.

필요 없는 것을 정리하는 것도 삶에서 중요한 덕목이다. 필요 없는 것을 내치는 거도 충실한 걸까? 중요하지 않은 일에도 왈가왈부해야 할까?

충실한 것과 충실하지 않은 것의 차이는 무엇일까? 이 둘의 차이를 나누는 기준은 무엇일까? 작은 것에도 충실해야 한다면 일을 할 때 순위를 매길 수 없게 되는 걸까? 충실해야 할 일과 충실하지 않아도 될 일을 나누는 것은 부당한 차별일까?

나조차 알지 못하는 질문을 종이 위에 끄적여 보았

다. 누군가 이 글을 읽는다면 답해줄까? 아니면 질문이 적힌 종이를 갈기갈기 찢어서 저녁 식사로 구운 식빵 사이에 끼워서 샌드위치처럼 만들어 먹어버릴까?

식빵 사이에 샐러드를 넣고 갈기갈기 찢어진 종이를 갈기갈기 찢긴 양배추 색으로 색칠해서 양배추 대신 넣을까? 물론 맛은 양배추보다 인위적이겠지만 양배추 대신 종이를 넣어 먹는 것도 꽤 괜찮다.

병원비만 넉넉하다면 말이다. 물론 제정신으로는 그런 짓을 할 수 없을 것이다. 제정신으로 할 수 없는 행동이다. 이런 상상을 하는 것 또한 제정신으로 할 수 없는 것이다. 제정신으로 할 수 없는 것들은 의외로 많다.

종이를 제정신으로 먹는 정상적인 사람들. 이게 무슨 정신 나간 소리냐면, 설명해 주도록 하겠다. 알 사람은 알고 모르는 사람은 모를 테지만 이곳에서 종이를 먹는 것은 그리 이상한 것이 아니다.

먹을 수 있는 종이가 발명되었기 때문이다. 먹을 수 있는 종이는 나무 대신 음식으로 만들어졌다. 무슨 음식인지는 알지 못한다.

먹을 수 있는 종이는 주로 어린아이들에게 배급되었고 감이는 어린아이가 아니기에 종이를 먹을 기회가 흔치 않았다. 아까 언급했다시피 감이는 마지막 수능을 준비 중인 수험생이자, 검정고시를 준비 중인 고시생이다.

수험생을 어린아이라 부르는 바보는 나뿐이니까. 그래서 하나 구해다 주기로 했다. 어린아이라고 부른 것에 대한 책임을 톡톡히 치르는 것이 도리에 맞는다고 생각했기 때문이다.

놀랍게도 아이들의 공부 방식은 평범한 학생들의 공부 방식과 그리 다르지 않다. 음식을 공부 도구로 쓴다고 해도 종이 속 문제들을 풀어나간다는 점에선 공부 방식이 다른 이들과 별반 다르지 않다.

어른들은 어린아이들이 공부에 재미를 붙이기 위해 먹을 수 있는 식용 종이에 초콜릿 펜으로 글을 쓰며 공부하게 했다. 공부 도구가 음식이라는 걸 제외하면 그들의 공부 방식도 평범한 학생들의 공부 방식과 별 차이가 없었다.

식용 종이에는 문제들이 사탕으로 적혀 있다. 초콜릿을 녹여 잉크처럼 썼듯이 사탕도 녹여서 잉크처럼 썼다. 글자 모양으로 식용 종이 위에 뿌려진 사탕은 시간이 지나 단단하게 굳어버렸다.

마시멜로로 문질러도 지워지지 않을 정도로 단단해진 것이다. 단단하게 만들어서 아이들이 임의로 문제를 수정하는 것을 막는 것이 문제 출제자의 의도였다.

사탕으로 적힌 문제를 읽고 읽은 문제의 풀이와 답을 초콜릿 펜으로 쓰다가 잘못 적으면 마시멜로로 잘못 쓴 부분을 문질렀다.

아이들은 잘못 적은 부분을 마시멜로로 닦다가 실수로 안 지워도 되는 부분까지 지워버리기 일쑤였다.

잘못 지워서 다시 풀지 않아도 될 문제들을 다시 풀어야 하는 상황에 부닥친 아이 중 몇몇은 분노를 못 이겨서 하지 말아야 할 행동을 해 버리곤 했다.

마시멜로를 우걱우걱 먹어버림으로써 마시멜로에 분풀이했다. 지우지 말아야 한 것을 지운 자신에 대한 분풀이를 마시멜로에 한 것이다.

물론 먹은 당사자는 자신이 마시멜로를 잘못 쓴 것조차 마시멜로 탓으로 돌리겠지만 말이다. 살다 보면 이런 사람들이 있다.

자신의 실수를 인정하지 않고 남을 탓하는 사람들. 자신이 마시멜로를 잘못 쓴 것을 인정하지 않고 마시멜로에 분풀이하는 아이들. 초콜릿 펜으로 마시멜로를 쑤시며 마시멜로의 고통을 상상하고 구체화하는 아이들.

자기 잘못을 남 탓으로 돌려 자칭 단죄를 실천하는 사람들. 자칭 단죄로 일컬어지는 마시멜로 고문. 입에 넣고 굴리고 이빨로 찌르고 자기 잘못을 인정하지 않는 아이들. 마시멜로는 달고 맛있었다. 그들의 단죄는, 복수는 달고 맛있었다.

복수심을 다스리는 법을 배우지 못한 채 자라난 아이들은 자칭 피해자로 자라났다. 마시멜로를 잘못 사용한 것을 인정하지 못한 아이들은 마음이 건강하지 못한 어른들로 성장했다.

자기 실수 하나 인정하지 못하는, 자존심 강한 어른. 무슨 일 있으면 탓할 대상부터 찾는 비겁한 어른.

마시멜로를 먹던 아이들은 커서 무고한 시민의 피, 땀, 눈물을 먹어 치우는 악인들로 성장했다. 모두가 그랬다는 것은 아니다. 그렇게 성장한 이들도 있었다는 말이다.

어른들이 아이들로 초콜릿 펜과 지우개용 마시멜로 그리고 문제 모양 사탕이 발린 식용 종이를 공부 용도로 쓰게 한 이유는 방금 언급했다시피 공부에 흥미를 갖게 하기 위해서였다.

문제를 맞히면 식용 종이 위에 솜사탕을 얹어 주었고 문제를 틀리면 문제 모양 사탕이 발려진 식용 종이와 초콜릿 펜을 가차 없이 압수해 갔다.

이들에게 학습 도구로 주어진 식용 종이, 초콜릿 펜, 마시멜로는 학습 시간 도중에 절대 먹지 말아야 할 것들이었다.

어른들이 그렇게 정했다. 공부하라고 준 것을 공부에 쓰지도 않고 먹어버리는 것을 미리 방지한 것이다. 아이들을 위해 시작한 식용 종이 공부 제도는 아이들의 호감을 끌어내지 못했다.

하지만 식용 종이에 초콜릿 펜을 쓰면서 공부하는

것을 선호하는 아이들은 그리 많지 않다. 초콜릿 펜을 쓸 때 툭하면 초콜릿 펜으로 쓴 글씨가 번져버리기 일쑤였다.

그냥 펜으로 쓰는 것도 난이도가 꽤 있는데 초콜릿 펜으로 공부해야 한다니. 이뿐만이 아니다. 맛있는 초콜릿과 식용 종이를 공부 용도로 쓰기 위해서는 자신의 식욕을 억제해야만 한다.

초콜릿 펜으로 쓰인 문제를 맞혀야 식용 종이와 초콜릿 펜을 먹을 수 있다. 아이들은 자신의 인내심을 최대한 발휘하여 문제들을 자신의 역량만큼 맞춘 뒤 맞춘 양만큼의 식용 종이와 초콜릿 펜을 받아 갔다.

공부 용도가 아닌 식용으로 받은 식용 종이와 초콜릿 펜은 아이들에게 기쁨이었다. 식용 종이로 초콜릿 펜을 돌돌 말아서 김밥처럼 만든 뒤 입에 넣고 오물거렸다.

초콜릿을 입가에 잔뜩 묻히고서 웃는 아이들에게선

공부 시간 때의 오기와 독기가 하나도 안 남아있었다. 순수한 웃음만이 아이들의 얼굴을 환히 밝혔다. 내가 감이에게서 원했던 것이 바로 그거다.

감이가 내가 주는 식용 종이와 초콜릿 펜을 받아먹고 해맑게 웃는 모습을 보고 싶었다. 그래야 죄책감이 덜어질 테니까. 아니, 그래도 죄책감은 계속될 것이다. 나라는 짐을 지운 것에 대한 죄책감.

죄책감은 다른 사람에게 보이지 않는 존재들 즉, 나와 같은 존재들에게서 결코 찾아볼 수 없는 것이었다. 죄책감의 유무 여부. 그게 바로 나와 같지만 나와 함께할 수 없는 그들.

그들과 함께할 수 없는 나의 한 끗 차이다. 그래서 나는 그들 사이에서 늘 혼자였다. 하지만 그건 핑계와도 같았다. 그 핑계는 내가 그들 사이에서 혼자인 것에 대한 이유가 되어 주었다.

그들 사이에서 혼자여도 괜찮았다. 적어도 나는 감

이와 함께니까. 감이도 마찬가지였을 것이다. 감이는 친구들 사이에서 혼자다.

하지만 늘 나와 함께 있다. 의존적인 존재가 되지 말아야지, 하면서도 결국 의존하게 된다. 내가 누군지 밝혀주길 바라는 욕구는 그들과 나 모두 가지고 있다. 내가 인정하든 인정하지 않든 상관없이 말이다.

한편 감이는 긴 대기 시간 끝에 약국에서 약을 처방 받았다. 당연하게도, 감이와 나는 약을 안 먹는 것을 중시한다. 좋은 영향을 끼치는 약이 아닌 나쁜 영향을 끼치는 약. 먹을 이유가 있어선 안 되는 약이다.

약에는 유통기한과 유효기한이 있다. 나는 알지 못했다. 벽결에도 유통기한과 유효기한이 있다는 것. 소책자 중 의료 책자를 읽다가 알게 된 거다. 벽결 중독자들은 홍안이 된다. 홍안을 벽결의 진화형이라고 봐도 좋다.

홍안은 벽결을 지속해서 섭취하지 않았을 시 2주간 지속된다. 감이가 홍안일 리 만무하단 거다. 약국에서 봤던 소책자 속 홍안을 가진 사람들의 실제 이야기는 이제 감이와 거리가 먼 이야기가 되었다.

"정말 다행이다. 그렇지 않아?"

감이가 벽결 중독자 즉, 홍안이 아니라는 것을 전해주었다. 내가 읽은 기록들과 소책자들을 보여줬다. 감이는 의아해하면서도 미소를 잃지 않았다. 다행이라는 듯한 눈웃음이었다.

"난 이 이야기가 너와 상관있는 이야기라고
생각했어. 그래서 얼마나 걱정했는데…
아니라서 정말 다행이다."

만약 내가 괴이한 것이 아니라면 난 뭘까? 감이는 왜 날 보는 걸까? 상상 회로를 돌리기 시작했다. 내 정체를 알아내고 싶었다. 사실 예전부터 줄곧 내 정체가 궁금했다. 하지만 애써 외면하려 했다. 지금은 외면하지 않는다. 왜냐? 알 것 같으니까!

만약 내가 방금 읽은 글 속에 적힌 수호천사라면?
내가 감이에게 '내게 말하는 천사'라 불리는 천사라
면? 그래서 감이가 나를 보는 것이 잘못된 게 아니
라 오히려 당연한 거라면? 내가 원하건 원하지 않건
영원히 감이와 함께 있어야 한다면? 잃어버린 나의
기억이 감이와 수호천사로서 함께했던 기억이라면?

상상 회로는 멈출 줄 모르는 회전 초밥집 회전 식탁
처럼 빙글빙글 돌아갔다. 상상 회로 속 상상들, 추측
들은 회전 초밥집에서 빙글빙글 돌아가는 맛난 초밥
들보다도 흥미로웠다.

"맞아. 우리 여기 나오는 사람들보단 덜 힘들게 살고 있잖아?"

각이가 소책자 속 홍안들을 가리키면서 내 말에 동의했다.

"다른 사람의 고통으로 나를 위로하지 말아 줄래?"

순간 침묵이 흘렀다. 침묵이 낯설고도 무거웠다. 사실 오늘 겪은 일들은 대부분 낯선 일들이었다. 낯선 병원, 낯선 대기실, 낯선 약국… 정기적으로 가던 병원과 다른 병원에 가서인지 모든 게 낯설었다.

의사 선생님도, 검사실도, 벽걸 섭취했냐는 질문은 오랜만에 듣는 질문이었다. 예전에 다니던 병원의 의사 선생님도 처음에 그렇게 물어보셨었다.

병원에서 있었던 일을 회상하는 사이에 우리는 어느새 우리의 기지에 도착해 가고 있었다. 감이가 기지에 들어서자마자 기다렸단 듯이 속사포처럼 하고픈 말을 쏟아부었다.

"유전된 홍안에는 내성이 있어. 2주 안에 해결될 내성이었음 애초에 유전되지도 않았겠지. 잠복할 수 있는 홍안은 보통 홍안이랑 달라. 오랜 시간 동안 축적된 홍안을 쉽게 봐선 안 돼. 증거 있어?

네가 본 홍안이 내가 가진 아니, 가지고 있을지도 모를 홍안과 같니? 기쁠 수 있어. 아니라고 바로 결단 내리고 싶었겠지. 하지만 현실을 바꾸지 않는 이상, 현실은 바뀌지 않아.

이상을 구현하지 않으면 이상은 이상일 뿐이야. 이상을 현실로 믿는다면 현실로 구현시켜야 해. 구현시키지 않은 채 현실이라고 우기는 건 망상이야. 망상은 이상이라고 불릴 수 없어.

날 위해 기록이랑 소책자를 읽으면서 홍안을 조사해 준 건 정말 고마워. 하지만 네가 조사한 것을 통해 내린 판단을 의심할 필요성이 있다고 생각해.

우리가 찾아야 하는 건 진실이야. 있잖아, 실패도 발견이다? 오답을 발견한 거야! 오답을 하나, 하나 제거해 나가면 언젠가 정답에 도달할 수 있게 될 거야!"

감이는 나의 주장이 틀린 이유를 하나, 하나 조목조목 설명해 주었다. 그렇게 감이가 우리를 보는 이유를 찾아냈다. 감이는 잠시 말을 쉬었다가 물을 몇 모금 마시고는 말을 이어 나갔다.

"있지, 나 있잖아. 찾아낸 게 있어."

"뭔데?"

"저주를 푸는 방법."

"저주는 풀어줘야 풀리는 거라고, 저주를 풀려 하는 건 신성모독이라고 말한 사람이 누구였더라?"

"누가 그런 말 쓰면 종교 재판 열어야
한다고 하지 않았나?"

"여기 봐봐!"

감이의 손에는 기록이 들려 있었다.

"헉, 벌써 거기까지 읽었어?"

각이가 놀라며 탄성을 내질렀다. 무뚝뚝한 각이가
놀라는 모습이라 흔하지 않은 모습이다. 카메라로
찍어서 남기고 싶지만, 카메라는 유령을 찍지 못한
다.

어쩔 수 없지. 각이의 우스꽝스러운 모습은 눈으로
만 보기로 했다. [눈으로만 보세요]라고 적힌 박물
관 표지판이 문득 떠올랐다.

다시 본론으로 돌아가서 감이는 기록에서 괴이한 것
들이 저주에서 풀리는 법을 찾아냈다. 방법을 순서

대로 나열하자면 이러하다.

1. 괴이한 것들의 고향으로 떠난다.

2. 그곳에서 나를 가릴 때 쓰던 두천을 버린다.

3. 괴이한 것이 되기 이전의 모습으로 돌아가 인간이 된다.

✝

타임캡슐

제11편

귀향(歸鄉)

암호명. 무 武

괴이한 것들은 말 그대로 괴이한 것들. 아까 설명했다시피 더 이상 인간이 아니다. 동물도 아니다. 물건과 별반 다를 바 없는 존재라고 생각해도 좋다. 보통 인간들은 죽은 후 저승사자가 된다.

하지만 괴이한 것들은 그렇지 않다. 괴이한 것들은 죽은 후에도 괴이한 것들이다. 저승사자가 되지 않는다. 하지만 두천을 벗어 버리고 괴이한 것에서 사람이 되면 곧장 저승사자가 되어 버린다.

두천의 속박에서 벗어나 진정 망자가 되는 것이다. 망자는 죽은 자를 의미한다. 두천은 사람들로 나를 보지 못하게 하거나 나를 봐도 정신을 잃지 않게 할 때 쓰인다.

괴이한 것들의 고향이 아닌 다른 곳에서는 두천이 절대 벗겨지지 않는다. 하지만 종종 약해질 때가 있다. 내가 강해지면 반비례적으로 두천이 약해진다. 두천이 약해지면 내가 사람들에게 보인다.

나를 본 불운한 이들은 제정신으로 살 수 없게 된다. 자신의 트라우마들로 가득한 지옥을 바라보며 살게 된다. 자신이 키우던 애완동물이 자신을 죽이려 달려들던 무서운 사냥개로 보이는 상황 등 여러 힘든 상황들을 겪게 된다.

사람은 괴이를 본 순간부터 지옥도를 보기 시작한다. 자신이 가진 마음의 상처 하나, 하나가 모두 트라우마가 되어 시각화된다. 폭력을 당한 사람의 지옥도에는 폭력을 행사한 피의자가 있다. 그 피의자와 다른 사람들이 겹쳐 보이게 된다.

아니라는 것을 알면서도 오해하게 된다. 풀리지 않은 오해는 확신으로 자라난다. 자신이 과거에 당한 가해를 계속 당하고 있다고 오해하는 사람들, 오해가 확신으로 굳어지면 굳어질수록 지옥도가 강해진다.

그들의 오해는 피해의식에서 피해망상으로 자라난다.

피해망상에 절어버린 사람의 삶을 살게 되는 것이다. 그 삶을 감이가 버티고 있다. 어디를 가도 똑같은 고통에 시달리게 된다. 같은 쳇바퀴를 끊임없이 도는 다람쥐처럼 모든 상황을 같은 상황으로 받아들인다.

과거의 트라우마라는 쳇바퀴 위를 달리는 거다. 지쳐서 죽어버릴 때까지. 쳇바퀴를 멈추는 법은 하나. 사람에게 모습을 드러낸 괴이한 것이 괴이한 것으로서의 생을 마감하는 것. 죽는다는 것은 아니다.

괴이한 것은 괴이한 것이 되기 이전 사람이었다. 괴이한 것 즉 괴이들은 저주받아 괴이가 된 인간들이다. 다시 인간으로 돌아가게 된다. 하지만 나는 인간으로 살길 포기하기로 했다.

"말도 안 돼. 인간이 되어 행복하게 살아야지.
인간이 되자마자 생을 마감하겠다고?
고작 나 하나 때문에?"

물론 감이는 반발했다. 하지만 그 방법밖에 없었다. 그래서 감이에게 죽지 않겠다고, 그곳에서 행복하게 살겠다고 했다. 고향으로 떠나기 전, 작은 송별회를 열었다. 그날은 4월 29일이었다.

작은 송별회를 마친 후 마지막이 될지도 모르는, 마지막이 되어선 안 되는 작별 인사를 건네고 고향을 향해 먼 여정을 떠났다. 유령으로서 괴이들의 고향에 돌아갈 순 있다.

하지만 산 사람으로서 고향 밖으로 나갈 순 없다. 나갈 수 없으면 감이에게 돌아갈 수도 없다. 물론 산 자가 이곳에 오는 것도 불가능하다.

나는 무슨 수단을 써서라도 돌아올 것이다. 다시 감이에게 돌아와 유일한 친구가 되어 줄 것이다. 사람이 죽으면 저승사자가 된다. 그리고 저승사자는 무언가에 봉인된 존재다.

저승사자는 자신이 죽은 곳에 봉인된다. 항아리에서

죽으면 항아리에 봉인되고 공중분해 되면 공기에 봉인된다. 나는 감이를 떠나 나의 고향일지 모를 괴이한 것들의 고향으로 떠났다.

그곳에서 공중분해 되어 저승사자로서 돌아오기로 했다. 기억을 잃을 날 위해 내가 가진 모든 기억을 편지에 써 내려갔다. 이제 편지는 막바지에 이르고 있다. 죽으면 기억을 잃게 된다. 그래서 이렇게 편지를 쓰게 된 거다.

안녕, 기억을 되찾은 무. 나 자신에게 쓰는 편지, 미래의 나에게 쓰는 편지는 이렇게 막을 내린다. 앞으로 감이와 행복한 삶을 살길 바란다.

가자마자 죽어서 돌아오겠단 각오로 갔지만 그러지 못했다. 감이에게 거짓말을 해서 양심이 날뛰는 걸까? 아니, 나도 잘 모르겠다. 산 자를 못 오게 하고 못 나가게 하는 이곳을 바꾸기로 마음먹었다.

언젠가 고향이 살기 좋은 곳이 되면, 내가 이곳을

나갈 수 있게 되면 나는 감이를 찾아 떠날 것이다. 언제 그날이 올지는 모르겠지만 나는 그날을 위해서라도 열정적으로 살기로 했다.

이곳은 정말 혼잡한 곳이다. 언제 누가 사라져도 이상하지 않을 곳이고 언제 누가 나타나도 이상하지 않을 곳이다. 그런데도 언제 누가 나가면 이상하지 않을 곳은 아니다. 나갈 수 없다.

절대. 들어올 수도 없다. 나가는 이도 들어오는 이도 없이 원주민과 인간이 된 괴이들로 가득한 이곳. 눈물의 골짜기라고도 불린다. 이곳을 행복한 곳으로, 지상 낙원으로 바꾸는 것이 나의 꿈이다.

웃기게도 나는 아직도 인간이 되지 않았다. 인간이 되려면 저주를 풀어야 하는데 아직 못 풀고 있다. 두천을 벗어 버려야 괴이에서 사람으로 돌아올 수 있는데 그러기엔 내 영력이 약한 듯하다.

두천은 괴이를 감싸고 있는 반투명한 천이다. 유연

성 있는 천이라서 괴이의 움직임에 방해가 되진 않는다. 입고 있어도 안 입고 있는 것 같은 느낌이 들 정도로 편한 옷처럼 두천이 나를 감싸고 있는 것을 자각하지 못하고 살아왔다.

그래서였을까, 두천을 벗고 인간이 되는 게 그리도 어려웠다. 두천은 두려움이 모여 만들어진 막 같은 거다. 물만큼 유연한 존재라서 형태를 얼마든지, 어떻게든 바꿀 수 있다. 하지만 물처럼 통과할 순 없다.

그래서 유령으로서 최대한 고향에 헌신하기로 했다. 이곳에 존재하는 홍안들을 나의 제자로 삼아 가르치기 시작했다. 고향을 바꿀 수 있도록, 미래의 지도자로 양성시키는 것이 나의 목표다.

과분한 목표지만 그렇게 하지 않고서는 감이를 다시 만날 수 없다. 어딘가에서 외로워하고 있을 감이에게 다시 돌아갈 것이다. 내가 바로 감이의 유일한 친구니까.

감이와 함께한 추억, 고향을 살리기 위해 달려온 시간, 신께 받은 저주에서 벗어나고자 하는 간절함, 나를 저주하고 책망했지만 나를 미워해서 저주한 게 아니라 저주에서 빠져나가는 과정을 통해 진짜 행복을 가르쳐주신 신에 대한 감사, 등, 모든 걸 잊고 싶지 않다.

요란스러운 죄인이었던 나는 저주받았다. 하지만 그 저주는 나쁜 게 아니었다. 저주를 통해 어리석은 내 모습을 발견했고 신께 돌이킬 수 있었다.

나를 감싸고 있던 두려움, 악한 나 자신을 감추려 겹겹이 쌓아온 위선들, 그것들은 모여서 두천이 되었고 나는 투명 인간이 되었다.

다른 사람에게 보이지 않는 투명 인간이 된 나는 원인 모를 이유로 기억을 잃었고 덕분에 아무것도 기억할 수 없었다. 내가 무슨 중죄를 지었는지도, 그렇게 죄에 대한 기억 없이, 쌓아온 고집, 객기 오기 없이 순수한 마음으로 신께 돌이키게 되었다.

신께서 아들을 보내어 모든 죄인을 죄에서 구원하셨다는 것. 예전의 나였다면 믿지 않았을지도 모른다. 인간은 모두 죄인이었다. 하지만 신께서 아들을 보내어 우리 죗값을 대신 치르게 하셨다. 그렇게 인간은 의롭게 되었다.

죄인이던 내게 망각은 축복이었다. 예전의 내가 받지 못한 구원을 지금 받았단 것은 망각이 좋은 영향을 끼쳤음을 의미한다. 만일 이 편지가 미래의 내게 전해지지 않는다 해도 그건 신의 뜻이다.

기억을 잃을 나를 위해 쓴 편지, 쓰고 있는 편지를 기억 잃은 상태에서 읽게 될 날이 올지 안 올지 잘 모르겠다. 어쩔 수 없이 생을 마감하게 된다면 그때쯤 읽지 않을까?

그날이 올 때까지 언젠가 생을 마감해 기억을 잃을 나를 위해 내 기억을 편지로 써나갈 것이다. 소중한 기억들, 감이와의 추억, 목표와 결의를 잊지 않기 위해. 그리고 저주가 아닌 축복으로 나아갈 나를 포함한 모든 이들을 위해.

†

타임캡슐

제12편

작가의 말
(the author's words)

작가의 진심 어린 자백

절대 영원히 하지 못할 것 같았던 마감을 끝낸 후
집필한 원고를 처음부터 다시 읽어 보았다. 아무리
읽어도 낯설었다. 어째서일까? 내가 쓴 원고가
이리도 낯설어 보이는 건 기분 탓일까?

책을 쓰는 작가들과 나는 거리가 멀다고 생각하곤
했다. 작가를 꿈으로 하고 있었지만, 공교롭게도
나는 맞춤법 하나 제대로 알지 못하는 그런
사람이었다.

독립 출판 작가가 될 수 있으리라 예상치 못했다.
부크크의 존재도 알지 못했다. 하지만 우연히
부크크 광고를 접하게 되었고 독립 출판 출판사의
존재를 발견했다.

내게는 독립 출판 출판사를 발견한 게 콜럼버스가

대륙을 발견한 것보다 더 신기하고 굉장한 일이었다.
원고를 써서 냈다.

그리고 원고를 보낸 날 당일 내 원고는 바로 반려
처리되었다. 절망스럽지 않았다. 오히려 기뻤다. 내
원고의 단점, 내 실수들 하나하나 안 넘기고 바로
잡아주는 것. 세심함에 감동받지 않을 수 없었다.

솔직히 내게는 국어 과목이 어려운 과목이다.
하지만 어째서인지 글쓰기를 좋아한다. 수다 떨
친구 대신 수다 떨 종이가 내 곁에 있었다.

종이와의 대화 아니, 나의 일방적인 이야기는
비밀이었다. 그런데 하루는 누군가에게 내가 쓴
글을 보이고 말았다. 절망스러웠다.

내 글을 보여준 게 부끄러웠다. 하지만 그 일을
통해 내 글을 우연히 발견해 읽은 누군가와 친구가

되었다. 첫 친구였다. 그래서였을까? 글을 잘 쓰지도 못하면서 글을 쓰는 것을 좋아했다.

쓴 글을 다른 사람들과 나누는 것도 좋아했다. 이번에 책을 출판해서 사람들에게 글을 보여드릴 수 있어서 얼마나 기쁜지 모르겠다. 난해한 글 읽기 힘들었을지도 모른다.

독자분들께 애정 섞인 한마디
이 책을 끝까지 읽어주신 모든 독자 분들게 진심으로 감사 인사 드립니다. 매 권 더 나아진 글솜씨로 찾아뵙겠습니다. 2권에서 만나요.